마음이 아픈 아동을 위한 책

마음이 굳어진 아동을 도우려면

부모, 교사, 아동전문가를 위한
가이드북

글
마곳 선더랜드

그림
니키 암스트롱

번역
편 집 부

한국심리치료연구소

Helping children who have hardened their hearts or become bullies

by Margot Sunderland & Nicky Armstrong

마음이 굳어진 아이들을 도우려면

발행일 · 2007년 9월 15일
지은이 · 마곳 선더랜드와 니키 암스트롱
옮긴이 · 이재훈 외
펴낸곳 · 한국심리치료연구소
등록 · 제 22-1005호(1996년 5월 13일)
주소 · 서울시 종로구 적선동 156 (광화문플래티넘 918호)
Tel · 730-2537, 2538 Fax 730-2539
http://www.orips.net E mail: orips@orips.net

ISBN 978-89-87279-63-3 74180
ISBN 978-89-87279-51-0(전19권)

국립중앙도서관 출판시도서목록(CIP)

마음이 굳어진 아동을 도우려면 / 글: 마곳 선더랜드 ; 그림: 니키 암스트롱 ; 번역: 이재훈 외. -- 서울 : 한국심리치료연구소, 2007
p. ; cm

원서명: Helping children who have hardened their hearts or become bullies
원저자명: Sunderland, Margot
참고문헌 수록
ISBN 978-89-87279-63-3 74180
ISBN 978-89-87279-51-0(세트)

183.2-KDC4 CIP2007002706

마음이 굳어진 아동을 도우려면

목 차

이 가이드북은 마곳 선더랜드의 동화, **꼬마 깡패 아름이**와 함께 활용하여야 한다.

글쓴 이

마곳 선더랜드
런던 아동 정신건강 센터 소장. 영국 치료상담 협회 아동 및 청소년 분과 책임자.
런던 지역 초등학교를 대상으로 "상처가 있는 곳에 도움을"이라는 연구 프로젝트 수행.
통합적인 예술 심리치료사 공인 및 아동 심리치료 상담사, 감독, 훈련전문가 공인.

현재, 치료와 교육을 위한 예술대학 학장. 이 학교는 아동 심리치료사 자격증과 예술 심리치료 석사학위를 수여하는 공인된 교육기관임.

저서: 시집-「춤에 관하여」(루틀리지 출판사)
성인치료를 위한 매뉴얼, 「당신의 감정을 그려 보세요」(스피치마크 출판사)

그린 이

니키 암스트롱
미술전공 석사. 현재, 런던 헴스테드 예술학교 교사.
순수미술 분야에서 국제적인 명성을 얻고 있음.

옮긴 이

이재훈 Ph.D
종교와 정신분석 분야 박사. 뉴욕 대상관계 정신분석 연구소 학술회원. 현 서울 대상관계 정신분석 연구소 소장. 한국 상담학회 정신분석 분야 감독. 한국 목회상담 학회 감독. 번역활동을 통해 한국에 대상관계 이론을 본격적으로 소개한 바 있으며, 정신분석 심리치료사 및 아동 심리치료사 양성에 힘쓰고 있음.

이효숙 M.A. Ed
서울대학교 미술대학 졸업
미국 일리노이대 미술대학원 미술교육 석사
대상관계 심리치료사

박영란 M.Ed
연세대학교 교육대학원 석사
대상관계 심리치료사

임말희 DEA
서울대학교 불어교육과 졸업
파리8대학 불문과 박사과정

가이드북의 활용

꼬마 깡패 아롬이라는 동화가 가진 치료적 잠재력을 충분히 활용하려면, 그 동화와 짝을 이루는 이 가이드북이 꼭 필요하다. 우리는 아동에게 동화를 들려주기 전에 당신이 먼저 이 책을 읽어 볼 것을 강력하게 권고한다. 그러면 당신은 훨씬 더 필요한 지식을 갖춘 상태에서 아동에게 다가갈 수 있을 것이며, 보다 풍부하고 공감적인 반응을 해줄 수 있을 것이다.

이 가이드북은 동화가 담고 있는 문제와 주제들에 관련해서, 일반적인 심리학적 근거뿐 아니라 가장 적절하다고 여겨지는 심리 치료적 이론들을 상세히 설명하고 있다. 아동에게 동화를 읽어주기 전에 이 책을 읽는 것은, 아동이 그러한 문제를 갖게 된 원인에 대해 알지 못한 채, 또는 선입견을 가진 채 접근하는 것을 방지해줄 것이다. 예를 들어, '죠의 학교 성적이 떨어진 것은 분명히, 몇 달 전 집을 떠난 아빠를 그리워하기 때문일 거야'라는 추측은 정확할 수도, 부정확할 수도 있다. 학교에서 죠가 문제를 보이는 것은 미처 생각하지 못한 많은 다른 이유 때문일 수도 있다. 그 문제는 대부분의 심리적인 문제들이 그렇듯이, 아주 복잡한 것일 가능성이 많다. 닫혀있거나 아주 좁은 관점을 갖고 접근한다는 것은, 도움을 주려는 어른들이 세상에 대한 **자신의** 감정과 관점을 아동에게 투사할 위험이 매우 높다는 것을 의미한다.

의식적으로 아동에게 잔인한 부모는 매우 드물다. 부모 역할이 뭔가 잘못 되는 것은, 흔히 부모들이 아동 심리나 아동 발달에 대해 꼭 알아야 할 것들을 **모르고** 있거나, 부모 자신의 성장과정에서 결여된 것이 있기 때문이다. 아동 심리학, 심리치료 그리고 과학적 연구를 통해 얻어진 효과적인 자녀양육 방법과, 이에 대한 정보가 부모역할에 관한 책, TV, 혹은 간행물을 통해 부모에게 전달되는 것 사이에는 유감스럽게도 여전히 거리가 있다. 그러므로 이 가이드북의 목적은 부모들을 비난하기보다는 지원하려는 것이다. 보다 일반적인 목적은, 아동을 돌보는 사람은 **누구나**, 대개 최선을 다하는데도 불구하고, 때로 얼마든지 일을 그르칠 수 있다는 것을 인식시키는 데 있다. 그리고 또한, 어떻게 하면 처음부터 올바르게 아동을 도와줄 수 있는지, 일이 잘못 되었을 경우 어떻게 바로 잡을 수 있는지를 알려주는 데에 있다.

이 가이드북에는 동화가 담고 있는 문제와 주제들에 맞서 싸우고 있는 아동들의 진술, 그리고 그들이 놀이를 통해 자신의 문제들을 실연하며 만들어 낸 이야기들이 실려 있다. 그리고 **꼬마 깡패 아롬이**를 읽어 준 후에 할 수 있는 여러 가지 이야기와 활동들을 제시한 부분이 포함되어 있다. 제시된 이야기와 활동들은, 아동이 동화가 담고 있는 특정 문제와 주제들에 관련된 자신의 감정을 생각해보고, 표현해보고, 나아가 소화시킬 수 있도록 특별히 고안되었다. 어떤 연습들은 아동이 자발적으로 자신의 이야기를 만들어 보게 함으로써, 그들의 감정에 대해 좀 더 표현하도록 격려하기 위해 고안되었다.

아동들은 자신이 느끼는 것을 일상적인 언어로 자연스럽게 말하지 못한다. 그러나 신뢰하는 어른들과 같이 있을 때에는, 자신의 감정을 보여주고, 실연하고, 그림이나 놀이로 매우 훌륭히 표현해낸다. 그러므로 이 가이드북이 제시하는 연습들은 대부분 아동이 창의적이고, 상상력이 풍부하고, 재미있는 방식으로 자신을 표현하도록 격려하고 있다. 또한 너무 많은 질문으로 아동의 정서적 삶을 심문하는 것을 피하기 위해, 어떤 연습들은 단지 네모 칸에 표시를 하거나, 가리키거나, 여러 개 중에서 단어나 그림을 고르도록 되어 있다.

들어가면서

> 우리의 벽들은, 더 이상 사랑할 수 없다고 느끼는 우리의 상처들이다.
> (윌리암슨, 1992, p95)

이야기의 내용

아롬이는 따뜻하고 사랑스러운 아이이다. 그런데 문제는 누군가가 그의 마음에 상처를 입혔다는 것이다. 상처가 너무나도 깊어서 그는 다시 누군가를 사랑한다는 것이 몹시 고통스러울 것이라고 단정한다. 그래서 그는 숲 속에서 크고 억센 문제아들을 만나 다시는 상처받지 않도록 마음을 돌처럼 만드는 법을 배우게 된다.

그리하여 아롬이는 꼬마 깡패가 된다. 처음에 그는 자신이 매우 힘이 세다고 느꼈으나 점차 그의 세계가 삭막한 회색으로 변하고 있음을 깨닫는다. 그러나 다행스럽게도 아롬이는 마음을 돌처럼 만들지 않고도 자신을 보호할 수 있는 방법을 가르쳐주는 들꽃과 동물친구들을 만난다. 그가 용기를 내어 다시 사랑하기로 했을 때, 비록 처음에는 힘들었지만, 따스함과 빛깔이 그의 세계 안으로 쏟아져 들어왔다. 이제 그는 더 이상 혼자가 아니었다.

이야기의 주된 심리적 메시지

마음을 에워싼 벽들은 우리를 보호해주는 동시에 감옥처럼 우리를 가둘 수 있다. 마음을 에워싼 벽들은 거칠고 해로운 것들을 막아주지만, 그와 동시에 따뜻함, 사랑 그리고 친절함 같은 좋은 것들도 들어오지 못하게 할 수 있다. 마음이 굳어지면 더 이상 고통스러운 경험은 없겠지만, 생생한 삶을 경험하지 못할 수도 있다. 마음의 벽들은 시야를 가리고 빛을 들어오지 못하게 한다. 방어를 사용해서 마음을 돌처럼 만드는 것은 사람들의 접근을 막는 결과를 가져온다.

> 사람들은 감정을 전혀 느끼지 않는 사람을 좋아하지 않는다.
> (폴스터, 1987, p305)

사랑하는 능력을 잃어버리면 세계는 삭막한 회색으로 변하고 만다. 우리는 마음을 돌처럼 만들지 않고도, 즉 보다 덜 극단적인 방법으로도 극심한 정서적 고통으로부터 우리 자신을 보호할 수 있다. 우리가 사랑하는 마음을 닫아버린다면, 우리의 삶은 그 의미를 잃어버릴 것이다. 우리의 삶을 힘에 넘겨주는 것은 결국 불행으로 인도한다. 복수가 삶을 망친다면, 그것은 결코 바람직한 것이 아닐 것이다.

> 과거의 고통은 … 오늘 요새를 세운다고 해서 사라지지 않는다. (블룸, 1990, p49)
>
> 벽들이 무너질 때, 세계는 확장된다. (초프라, 1990, p230)

이야기의 대상이 되는 아동

이 책은 다음과 같은 아동들을 위한 것이다.

☆ 남을 괴롭히는 아동.

☆ 사랑 때문에 심한 상처를 받은 아동.

☆ 너무나 고통스러운 일을 당해서 극도로 방어적인 된 아동.

☆ 가정이나 학교에서 난폭한 취급을 받아 마음이 굳어진 아동.

☆ 부모의 폭력을 목격하여 마음이 굳어진 아동

☆ 반복적으로 맞아서 마음이 굳어진 아동

☆ 수치심이나 굴욕감 때문에 마음이 굳어진 아동

☆ 빈번히 반응을 받지 못해 마음이 굳어진 아동

☆ 부모의 사랑을 다른 사람에게 빼앗겼다고 생각해 마음이 굳어진 아동

☆ 자신이 겪은 아픔때문에 다른 사람들에게 보복하는 아동

마음이 굳어진 아동의 삶

마음을 벽으로 에워쌓는 것은 스스로 정서적 빈곤을 짊어지는 것이다

> 난 여기 있을 거야! 머리를 디밀고 내려다보면서 '얘야, 다시 올라오렴 하고 말해도 소용없을 걸 … 하지만, 오, 이런!' 앨리스는 갑자기 눈물을 흘리며 울음을 터뜨렸다. '사람들이 날 내려다 봐줬으면 좋겠어! 난 여기 혼자 있는 게 정말 싫어!' (루이스 캐롤, 이상한 나라의 앨리스, 1885, pp15–16)

마음이 굳어버린 아동들은 대개 스스로 부과한 정서적 빈곤으로 인해 고통을 받는다. 이것은 아롬이가 마음을 굳게 닫은 후에 그의 세상이 완전히 잿빛으로 변했음을 깨닫는다는 이야기에서 잘 표현되고 있다. 정서적 고통을 차단하기 위해 방어적이 되면, 삶을 정서적으로 풍요롭게 하는 것들도 차단된다. 벽들은 해로운 것이 들어오는 것을 막아주지만, 인간적인 따뜻함, 사랑과 친절함이 들어오는 것 역시 막아버린다. 좋은 것들을 함께 나누는 행동은 인간이 할 수 있는 가장 풍요로운 정서적 행동 중의 하나이다. 그러나 당신의 존재 전체가 방어적인 시스템으로 짜여있다면, 당신은 누구에게도 사랑을 주지 못할 것이다. 당신은 전혀 다른 마음의 상태에 있게 된다.

만일 아동이 아롬이처럼 단단하고 거친 방어를 가지고 있다면, 그는 도움의 가능성 역시 차단할 것이다. 그가 보내는 '나는 당신이 필요 없어' 또는 '당신의 도움이 필요 없어'라는 메시지는 너무나 강력해서 사람들은 종종 그것을 액면 그대로 받아들인다. 그리하여 그의 마음을 에워싼 벽들은 자기보호의 방편이기보다 오히려 감옥이 되고 만다. 결국에는 이 벽들이 무너질 것이라는 희망으로 한 동안 이런 아동들을 견뎌주는 사람들도 있을 것이다. 하지만 대다수의 사람들은 결국, 은유적으로 말해서, '좀 더 따뜻한 날씨'를 찾아 떠나게 된다.

마음을 닫고 사랑보다 힘을 선택한다면, 삶은 가혹하고 황량한 것이 된다

> 열 살인 사이먼은 아빠가 그를 떠났을 때 마음이 굳어져 버렸다. 사이먼의 이야기에서, 외로운 북극곰은 '나는 추운 곳에 머물러 있을 거야, 적어도 여기선 안전하니까'라고 말했다.

그림 1
아롬이도 꼬마 깡패가 되기 전에는 사랑스러운 관계경험을 알고 있었다.

아롬이의 이야기에서 아롬이가 거친 문제아가 되었을 때 그의 관계는 사랑에 기초한 것이기보다는 지배와 힘에 기초한 것이었다. 그렇게 되면 아동은 매우 황폐해질 수 있다. 주된 관계방식이 '너는 나보다 힘이 세다' 혹은 '나는 너보다 힘이 세다'는 식으로 힘에 기초해있는 세상이라면, 이것은 마치 태양도 없고 나무에 이파리도 없는 그런 세상과 같을 것이다. 그것은 항상 겨울만 있는 세상이다.

힘에 기초한 세상에 살고 있는 아동은 정서적으로 기름지고 삶을 풍요롭게 하는 많은 것들을 놓쳐버린다. 그는 친절함과 평온함, 따뜻함과 안락함을 주고받으면서 다른 사람들과 밝고 부드럽고 온화한 관계를 맺지 못한다. 예를 들어, 밀네가 '곰돌이 푸우'에서 보여주는 것과 같은 애정 어린 관계 경험이 그에게는 불가능하다.

> 네가 바람을 헤치고 몇 마일을 걸어와서 누군가의 집에 갑자기 들어섰는데 그가 이렇게 말하는 거야, '안녕, 푸우, 재미있게 놀려던 참인데 마침 잘 왔네,' 기분 좋은 날이란 바로 이런 거야. (밀네, 1926)

사랑보다 힘을 선택한 이런 아동들의 놀이는 조만간 그들의 황폐한 내면세계를 보여줄 것이다. 거기에는 끊임없는 폭발, 살상, 질식, 익사, 피비린내 나는 전쟁, 또는 무수히 많은 사람들이 죽는 공허한 결말이 기다리고 있다. 또한 거기에는 총에 맞고, 파열되고, 질식당하고, 포획되거나 잔혹하게 위협받는 무방비 상태의 약한 존재들이 있다. 부드럽고, 염려하고, 친절하며, 도움을 주거나 지지해 주는 사람은 아무도 찾아볼 수 없을 것이다(그림 2를 보라).

그림 2
한 아동의 모래놀이 이야기에 나오는 황량한 내면세계의 그림. 이 그림은 6세인 피터가 그린 것이다. 아무도 안전하지 않고 언제나 위협적이기만 한, 지상의 지옥에 관한 이야기이다. 따뜻하거나, 친절하거나 안전한 것이 전혀 없다는 점에 주목하라.

사람들은 마음이 굳어버린 아동들을 회피하거나 차갑게 대하는 경향이 있다

> 우리가 마음을 벽으로 에워싼다면, 우리는 그야말로 지옥을 만들어 내는 것이다.
> (제퍼스, 1987, p78)

마음이 굳어버린 아동들은 보통 같이 지내기가 매우 어렵다. 그들은 대개 에너지가 부족하거나 넘치는 것처럼 보인다. 그들의 방어 체계는 그들을 단조롭고 활기 없게 만들거나, 과잉 행동적이고 공격적이며 거칠고 소란스럽고 허풍스럽게 만든다. 그들은 또한 사람들에게 매정하게 보일 수 있는데, 그들이 자신의 취약한 감정들을 방어하고 있어서 다른 사람들의 감정에 공감하지 못하는 경향이 있기 때문이다. 그들의 방어는 자신의 감정들뿐만 아니라 다른 사람들의 감정들까지도 차단한다. 그 결과 그들은 자신들처럼 마음이 굳어버린 사람들 외에는 누구와도 관계를 맺지 못한다. 이것이 바로 마음이 굳어버린 아롬이에게 일어난 일이었다. 그는 따뜻하고 부드러운 친구들을 잃어버리고 억세고 거친 친구들만을 갖게 되었다.

그러므로 약점을 보이지 않고 공격적으로 방어하는 성인들과 아동들은 제한된 정서적 에너지를 가지고 있고, 관계의 폭이 좁기 때문에 대체로 함께 지내기가 매우 어렵다. '내가 얼마나 크고 힘세고 천하무적인지 보라!'는 그들의 행동과, 조금도 친절하거나 부드럽거나 따뜻하거나 개방적이지 못한 그들의 태도는 사람들을 서둘러 떠나고 싶게 만들거나 처음부터 관계를 맺고 싶지 않게 만든다. 거칠고 모진 아동들은 만나는 사람들에게서 계속 거칠고 모진 것들을 불러일으킨다. 대부분의 사람들은 감정적으로 자극을 받아서 그들을 처벌하고 싶어진다. 그리고 마음이 굳어진 아동들은 다른 사람들 안에서 친절하거나 따뜻한 반응을 불러내지 못하기 때문에 상황을 자신들에게 더욱 불리하게 만든다. 그들은 사람들에게서 차가운 반응을 이끌어낸 다음, 자신이 거칠고 불친절한 세상에 대해 마음의 문을 잠근 것은 옳았다고 스스로 확신한다. 따라서 그들의 정서적인 고통은 사회로부터 물러나 깊은 곳으로 숨게 된다.

문제는 사람들이 이 아동의 방어와 거친 행동만을 본다는 것이다. 사람들은 그의 깊은 곳에 있는 고통을 보지 못한다. 대부분의 상호관계에서 사람들은 벽 뒤의 아동이 아니라, 아동의 벽과 만나게 되기 때문에 어떤 진정한 연결도 맺지 못한다. '나는 그에게 가닿을 수가 없어'라고 말할 때, 사람들은 아동과 연결되지 못한 채, 단지 그의 방어와 부딪치고 있다는 것을 의미한다. 또는 교사나 부모들이 '나는 사실 이 아이를 좋아하지 않아'라고 말할 때, 그들이 좋아하지 않는 것은 아이의 방어이지 아이 자신이 아니다. 그들은 한 번도 실제로 그 아이를 '만나거나' 이해해본 적이 없다. 이처럼 교사나 부모들이 아동을 그의 방어벽과 혼동하는 것은 아주 흔한 일이다. (특히 그 아동이 자신의 부드럽고 약하고 온화한 감정을 너무나 오랫동안 성공적으로 차단해왔다면, 그 또한 자신의 방어가 자신의 모든 것이라고 생각할 것이다.)

물론 다른 사람들에 대해 마음을 닫고 있다고 해서 그가 나쁜 아동이 되는 것이 아니다. 그는 지독히 상처 입었거나 겁에 질려있을 뿐이다. '이 끔직한 아이'의 속마음은 결코 끔찍스럽지 않을 수 있다. 그의 방어는 끔찍하고 가시 돋친 것일 수 있지만, 그것은 그렇게 하지 않으면 세상이 아주 거칠고 무섭거나 위험할 것이라는 생각 때문에 생긴 것일 수 있다. 그러나 만일 친척이나 교사 혹은 상담자가 아이의 방어체계를 구성하고 있는 괴물 같은 덩굴손과 날카로운 가시철조망을 시간을 갖고 뚫고 들어간다면, 그들은 아마 아롬이의 이야기에서처럼 그 가시덩굴 밑에 숨어있는 약하고 겁에 질리고 상처 입은 작은 아이를 발견할 것이다. 그러나 당신은 가능한 한 빨리 그 작업을 수행해야 한다. 그들의 마음을 닫는 데 사용된 시멘트가 시간이 지나면서 굳어져 버린다면, 그 시멘트 밑의 상처 입은 어린아이에게 도달하는 일이 극도로 어려워질 수 있기 때문이다.

아무런 도움이 없다면, 마음이 굳어버린 아동들은 점점 더 다가가기 힘들어지고, 사람들은 그들에게 다가가려는 노력을 아예 포기하게 될 것이다. 어째서 그들에게 다가가려는 시도는 번번이 거부되고 배제당하는 것일까? 그것은 그들의 '출입금지' 메시지가 너무나 강력하기 때문이다. 그들을 위해 오랫동안 기다려줄 수 있는 사람은 그렇게 많지 않다.

사람들은 누구나 마음을 끄는 아동이 있고 그렇지 않은 아동이 있다는 사실을 알고 있다. 문제는 후자가 전자보다 훨씬 더 많은 관심을 받아야 함에도 그렇지 못하다는 사실에 있다. 그것은 그들이 호감이 가지 않거나 반사회적인 방식으로 자신들을 표현하기 때문이다. 마음을 끄는 아동들은 마음이 열려있는 아동들이다. 마음이 거세고, 거칠고, 굳어진 아동들은 방어가 잘 작동하지 않아서 취약한 감정들이 새어나올 때에만 사람들의 마음을 끈다 (마음을 숨기는 아동인 찬이의 이야기를 참조하라, 선더랜드 & 암스트롱, 2000).

마이크, 11세

지나치게 예민한 마이크의 어머니는 종종 마이크를 매우 혹독하게 대했다. (그녀 자신의 아버지는 그녀에게 매우 혹독했다.) 그녀의 남자 친구는 여러 차례 마이크를 때렸다. 마이크는 어머니에게 같이 놀아달라고 청했지만, 그녀는 대부분 바쁘다는 핑계로 거절했다. 어느 날부터 그는 더 이상 요구하지 않았다.

마이크는 군복 같은 옷을 입고, 위협적인 말투를 쓰고, 긴 가죽 부츠를 신고, 다리를 벌리고 허리에 양 손을 얹은 자세를 취하기 시작했는데, 그로 인해 사람들은 그를 멀리하기 시작했다. 그것은 상처 입은 어린 마이크를 숨겨두기 위한 훌륭한 위장이었다. 그는 자신의 상처 입은 유아의 부분들을 깊이 감추어 두기 위해 스스로를 가둘 수밖에 없었다.

갇힌 삶은 안전감을 준다. (Bachelard, 1969, p115)

마음의 상처로 인해 홀로 있는 아동들의 삶

머틀은 나를 만날 방법을 찾는 것이 '잠자는 숲 속의 공주'를 찾는 것만큼이나 힘들다고 불평했다. 나는 그에 대해 사과했지만 속으로는 기뻤다. 힘들게 내버려두라. 수백 년 동안 계속 그렇게 내버려두라. 멋진 왕자님은 오지 않을 것이고, 귀찮게 할 사람은 아무도 없을 것이다. (Thrail, 1994, p159)

다른 아이들과 함께 노는 것보다 혼자 노는 것을 좋아하는 아동들은 함께 사는 세상이 너무나 고통스러웠기 때문에 대부분의 시간을 혼자만의 은밀한 세계에서 보내기로 작정한 아동들이다. 마음이 굳게 닫힌 열 살 된 소녀는 '나는 친구를 원하지 않아요, 싸우기만 할 뿐인 걸요'라고 말했다. 지아나 윌리암스(1997)는 이들을 '고립된 환경을 이상화한 아동들'이라고 불렀다. 다음은 이런 아동들의 사례이다.

샌디, 11세

샌디의 어머니는 한 순간 다정한 태도를 보였다가 다음 순간에는 소리를 지르고 화를 내곤 했으며, 자주 술에 취해 있었다. 선생님이 샌디에게 그가 살고 싶은 곳이 어디냐고 묻자, 그는 '달'이라고 대답했다. 그 이유는 '거기에는 아무도 살지 않기 때문'이었다.

로저, 12세

로저는 외로운 아이였다. 그의 어머니는 3년 전에 돌아가셨고, 아버지는 그를 자주 때렸다. 상담 중에 로저는 다리와 그 위를 건너가는 자신의 모습을 그렸다. 자신이 무사히 건너가고 난 후에 그는 다리를 폭파시켰다. '내가 다리를 폭파시켰어요. 그래서 아무도 건널 수 없게 되었어요. 전에는 사람들이 내 다리를 건너왔거든요. 그게 내가 다리를 날려버린 이유예요.'라고 말했다. 상담에서 로저는 내가 '자기 머릿속으로 들어올까 봐' 두려워했다. 상처 입은 로저의 시각에서는 모든 사람들의 접근을 차단하는 것이 가장 안전한 방법이었다. 그는 사람들이 자신을 버리거나(그의 어머니) 침범하는 경우(그의 아버지), 극단적인 방법이 아니고는 자신을 충분히 방어할 수 없다고 느꼈다.

그러나 이런 아동들이 선택하는 고립은 개인과 정서의 발달을 완전히 정체시킬 수 있다. 이들이 사용하는 방어들은 이들로 하여금 자신의 잠재력을 실현하지 못하고, 좁고 갑갑한 삶을 살게 한다.

개인 발달의 가장 필수적인 부분은 용기를 갖고 누군가와 가까운 관계 속에서 살아가는 것이다. 삶에 온전히 참여해 그 풍부함을 맛보기 위해서는, 누군가를 자신 안에 받아들이고 관심을 가지며 그들을 소중히 여길 수 있어야 한다. '나는 당신과 접촉하고, 말하고, 미소 짓고, 바라보고, 묻고, 받아들이고, 알기를 원한다 – 이 모든 것들이 차례로 삶의 활력을 지원해준다. 나는 혼자지만 살기 위해 당신을 만나야 한다.'(Polster & Polster, 1973, p99) 그러나 그러한 아동들이 다시 이것을 시도하기에는 그들의 상처가 너무나 크다.

마음의 벽을 유지하는 데는 많은 시간과 에너지가 소비된다

> 죠지는 아버지에게서 가능한 한 멀리 떨어진 구석에 서있었다. 그는 뒤에서든 위로부터든, 모종의 교활한 수단에 의해 불리한 상황에 빠지지 않도록, 모든 것들을 주의 깊게 살피기로 마음먹었다. (카프카, 1981, p54)

상처받고, 두렵고, 슬프고, 수치스러운 감정들을 더 이상 느끼지 않기 위해서 사용하는 방어들을 유지하는 데는 많은 양의 정서적인 에너지가 든다. 성벽을 지키는 일에서 긴장을 완화하거나 주의력을 분산시키는 것은 너무나 위험하게 느껴진다. 한 순간이라도 방심하면 누군가가 몰래 들어와 침범하고, 공격하고, 해를 입힐지 누가 알겠는가?

간단히 말해서, '심한 상처를 입은' 아동들은 대개 그런 일이 또 다시 일어날 것이라고 확신하는 편집증적인 세계에 살고 있다. 그들은 아무도 진정으로 믿을 수 없다. 그러나 그들이 성벽 뒤에 숨어있는 한, 그들은 삶을 제대로 살 수가 없을 것이다. 달리 말해서, 정신적인 에너지가 함께 삶을 살아가고 즐기는 데 사용되기보다는 방어하는데 사용될 것이다. 방어들은 보다 창조적이고 풍요로운 방식으로 사용해야 할 필수적인 생명력을 소진해버린다.

마음이 굳어졌거나 남을 괴롭히는 아동에 대한 이해

아동들의 마음은 어떻게 해서 돌처럼 굳어지는가? 그리고 그들의 방어 체계는 어떻게 작동하는가?

아동은 다시 마음의 상처를 입는 것 ― 응답 없는 사랑, 충족할 수 없는 욕구, 견딜 수 없는 상실이나 무력한 상태 ― 으로부터 자신을 보호하기 위해서, 마음을 단단하게 만드는 방식을 사용한다. 아동은 정서적인 고통에 대해서 생리적인 자극의 수준이 높아질 때, 자신이 공격받는다고 느끼기 때문이다. 마음이 굳어버린 많은 아동들의 이야기에서(치료나 상담에서), 그들이 얼마나 극심한 정서적인 고통을 겪었는지, 그리고 그로 인해 얼마나 망가지고, 깨어지고, 산산조각이 났는지가 드러난다. 많은 아동들이 그들의 이야기 속에서 이러한 이미지들을 사용한다. 다시 말해서, 그들은 정서적인 고통이 생존을 위협한다고 느끼기 때문에 정서 자체를 심하게 두려워하며, 그 결과 감정들을 차단한다. 이는 세상에 대해 자발적이고 따뜻하게 반응하기보다는 제한되고 위축된 채 냉담하게 반응함을 뜻한다. (그림 3을 보라)

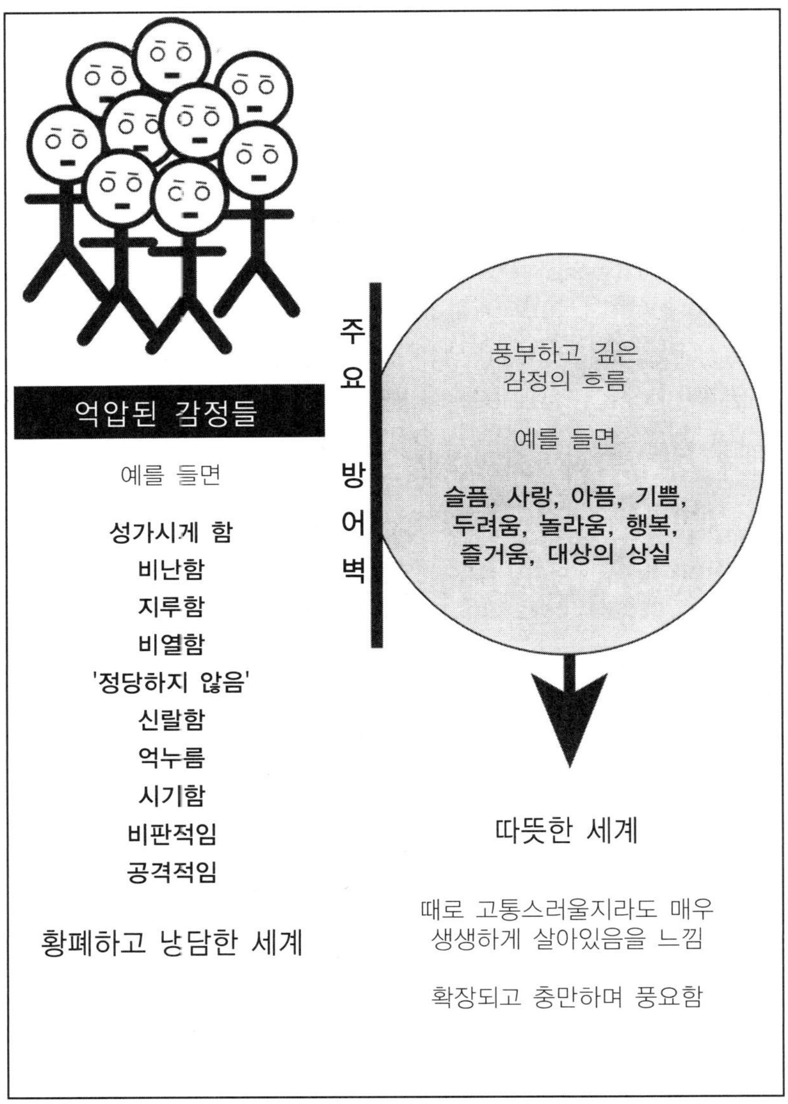

그림 3 억압된 감정들

아동들이 마음을 보호하기 위해 사용하는 두 가지의 공통된 방어는 무감각(정서적 마비)과 억압(고통스러운 느낌을 잊어버리는 것)이다. 그래서 아름이와 같은 아동들은 그들의 무방비와 취약함(상처를 입을 수 있음을 뜻하는)을 상처입힐 수 없음으로 바꾸려고 애를 쓴다. 무감각이나 억압이라는 효과적인 방어를 사용함으로써 아동은 실제로 마음과 정서의 고통을 느끼지 않게 된다.

사랑해주는 사람이 없을 때 아동의 마음은 굳어진다

눈 먼 큐피드여, 무슨 짓이든 해보라. 나는 결코 사랑하지 않을 것이다.
(셰익스피어, **리어 왕**, I, 20, v.132)

내가 엄마에게로 가는 길에는 너무도 어려운 장애물들이 있었다. (트루디, 14세)

나는 필사적으로 나를 사랑해주는 엄마를 원했지만, 얻은 것은 벽뿐이었다. 그래서 얼마 후에는 나 역시 벽이 되겠다고 생각했다. (아이린, 16세)

부모가 자신을 사랑한다는 증거-따뜻한 목소리, 자신만을 위한 부드러운 손길-를 찾으려는, 간절하지만 성공적이지 못한 수많은 시도들 이후에, 아동은 쉽사리 자신을 차단하고 마음을 돌처럼 굳어지게 한다. 그는 자신에게 '사랑 같은 것은 너무 시시해. 나는 이제 다 컸어. 그런 것은 더 이상 필요 없어'라고 말한다. 그는 엄마에게 다가가 껴안고, 바짝 붙어서 TV를 보고, 사랑한다고 말하고, 작은 선물을 주는 행동들을 모두 중단한다.

이러한 현상은 때로 부모의 일관되지 못한 태도('너를 사랑해, 널 사랑하지 않아') 때문에 촉발된다. 어떤 아동들에게는 엄마가 분명한 사랑의 표현을 실제로 너무나 드물게 한다는 것이 문제가 된다. 사랑하면서도 표현하지 않는 것이다. 한 어머니는 '아들에게 사랑한다고 말할 수 없다는 것을 깨달았을 때, 치료를 받기로 결심했어요'라고 말했다. 자녀들과 전혀 유대를 형성할 수 없는 어머니를 가졌던 일부 아동들은 어떠한 사랑의 표현도 받을 수가 없었다. 이런 어머니는 의무감으로 일하면서 언젠가는 자신의 아이를 사랑하게 되기를 희망한다. 어떤 아이들은 다정하게 대하다가도 무언가에 자극을 받으면 격노와 함께 험악한 모습으로 돌변하는 어머니, 즉 다정한 사람에서 소리를 지르거나 때리고 미워하는 사람으로 돌변하는 어머니를 경험한다. 그는 이렇게 불일치하는 두 어머니 사이에서 상처받고, 혼란을 겪고 충격을 받는다. 어머니가 자신을 사랑한다고 믿었던 그는 어머니의 변신에 깊은 배신감을 느낀다. 서서히 그는 마음을 굳게 닫고 사랑은 '귀찮은 거야'라고 말한다.

아이들도 어른들만큼이나 사랑의 상처를 입는 일이 흔하다는 것을 많은 사람들이 모르고 있다. 유아-어머니 연구는 아기에게 부모를 깊이 사랑하는 능력이 있으며, 따라서 어른들 못지않게 파괴적인 사랑의 상처에 노출되어 있음을 보여준다. (스턴, 1993)

다시는 사랑하지 않겠다고, 또는 깊이 사랑하지 않겠다고 아동들이 단호하게 결심하는 것(대개 무의식적인)은 비극이다. 때로 이것은 이 다음에 누군가가 그들을 사랑하게 되었을 때, 그 사랑을 받아들일 수 없게 된다는 것을 뜻한다. 그들은 더 이상 정서적으로 사랑을 할 수 없다. 또는 이후에 누군가의 사랑을 진심으로 믿는 데서 올 수 있는 상처를 피하기 위해, 그들은 친밀한 관계를 회피하거나 하나의 관계에서 또 다른 관계로 옮겨 다니게 된다. 그들에게 있어서 사랑을 한다는 것은 너무나 위험한 일이며, 틀림없이 거절과 상실로 고통 받게 된다는 것을 의미한다. 종종 그들은 자신의 사랑하는 능력이 손상되었다는 사실을 부인한다. 그들은 단지 왜 A와 지내는 것이 힘든지, 또는 왜 B와는 잘 안되는지에 대한 '그럴듯한 이유를 계속해서 찾는다.' 그들은 오래전 아동기에 누군가가 그들의 사랑을 깨뜨린 것처럼, 또 다시 깨어진 사랑의 흔적을 남긴다.

당신에게 내 마음을 열 때

당신에게 내 마음을 열지 않을 수가 없어요
너무나 당신을 사랑하기에 살갗이 벗겨진 나
그래서 무방비인 내게 당신의 말은 미사일처럼 떨어집니다
그리곤 정원에 난 작은 길이 안전하고 친절하다고 믿었던 달팽이처럼
한순간에, 집도 삶도 모든 것을 잃어버린 채
용기는 당신 신발 아래서 산산이 흩어집니다

발밑에서 내가 비명을 지르는 동안
당신은 작은 참새의 목을 잡아채어
애원하는 눈망울을 손에 쥐고는
이게 다 무슨 소동이냐고 묻지요
당신은 모를 거예요, 그렇죠?
당신의 미소 없는 이별의 얼굴이
얼마나 나를 하찮은 존재로 만들었는지
조각난 채 허둥거리며
당신이 떠날 때 가져가버린
그 빛을 얼마나 찾아 헤맸는지

마곳 선더랜드

'상관없어. 상관없어. 상관없어.'- 상처 입은 아동에게는 누군가가 절실히 필요한 것보다는 필요 없는 것이 더 낫다

아버지가 떠나버린 8살 된 한 소녀는 '슬픔을 느끼는 것이 너무 힘들다'고 말했다. 절박하게 필요로 하거나 몹시 사랑하는 사람이 상처를 입혔을 때, 우리는 극도로 고통스러운 감정을 느끼게 된다. 이런 일을 겪은 아동들이 자신의 사랑과 필요를 끊어버리고 세상에 크고 강한 자신의 모습을 보이고 싶어 하는 것은 이해할 만하다. 문제는 엄마와

아빠에 대한 필요와 사랑을 포기하는 것이 때로 모든 사람에 대한 필요를 포기하는 결과를 가져온다는 데 있다. 아동이 엄마나 아빠와 가졌던 고통스러운 상호관계가 모든 사람들에게까지 일반화되는 것이다. '누군가를 필요로 하게 되면, 상처만 받을 뿐이야. 그러니까 더 이상 누구도 필요로 해선 안 돼. 그게 최선의 해결책이야. 나는 이제 나 자신만을 돌볼 거야.' 이럴 경우, 아동은 계속 냉정하게 '상관없어'라고 분명히 잘라 말하게 되는데, 이것은 그가 과거의 고통을 강력하게 방어하고 있기 때문이다.

자신의 요구를 포기한 아동과 그렇지 않은 아동의 차이

어머니에 대한 필요를 포기한 아동

세 살 된 데이빗의 어머니는 그를 자주 때렸다. 경제적으로 몹시 어려웠던 그녀는 다섯 자녀들을 돌보아야만 했다. 데이빗은 결코 엄마의 도움을 얻기 위해 울지 않았다. 그는 자신의 장난감 기차 세트와 자전거를 사랑했다. 엄마가 그를 한 달 동안 삼촌에게 맡겼을 때도 그는 한 번도 울지 않았다. 학교에 들어가자 그는 작은 불량배가 되었다.

어머니에 대한 필요를 포기하지 않은 아동

세살 가량 된 한 어린 소녀는 번화가에서 '엄마, 엄마!' 하며 큰 소리로 울부짖었고, 그녀에게 화가 난 엄마는 뒤도 돌아보지 않은 채 저만치 걸어가고 있었다. 작은 소녀의 울음은 여러 사람들의 발걸음을 멈출 정도로 절망감에 차 있었다. 아마도 그 소녀의 울부짖음이 어떤 사람들에게는 익숙한 감정, 즉 엄마에 대한 절대적인 필요와 갈망의 느낌을 불러일으켰을 것이다. 이 작은 소녀는 엄마에 대한 필요를 포기하지 않은 채 엄청난 고통과 좌절을 느끼고 있었다. 그 고통은 엄마의 사랑을 잃었다고 느끼는 동시에 엄마를 너무도 필요로 하는 데서 오는 것이었다.

아동은 누구나 어머니(또는 이와 동등한 일차적 양육자)를 필요로 한다. 암스트롱-펄만은 '엄마가 어떻게 하든, 그리고 아동 자신이 아무리 그렇지 않다고 주장하더라도, 유아는 여전히 엄마를 필요로 한다는 점에서 부모에 대한 필요는 무조건적이라고 말한다. 반면에, 엄마에 대한 아동의 '사랑'은 조건적이다. 엄마가 아동을 거듭해서 때리고 두렵게 하거나 화나게 할 경우, 그는 엄마에 대한 사랑을 포기하지만 그렇다고 해서 엄마에 대한 필요를 중단하지는 않는다. 부모들은 아이들의 사랑이 그들이 요구하는 것처럼 무조건적이라고 생각하는 경향이 있는데 이는 잘못된 생각이다.

이 분야에 대한 연구결과는, 아동들이 이르면 생후 3개월에서 6개월에 부모로부터 정서적 철수의 기미를 보일 수 있다는 사실을 보여준다(랜돌프, 1994, p3). 이와 유사하게 '낯선 상황 실험'(에인즈워스 외, 1978)을 통한 연구는 어머니와 고통스러운 관계를 가진 한 살 된 아기가 이미 거짓된 독립의 자리로 옮겨갔음을 보여준다. 이러한 아동들은 전문용어로 '회피 애착'의 문제를 가진 아동으로 알려져 있다. '회피 애착'이란 실제로는 매우 절실히 엄마를 필요로 하면서도 전혀 필요로 하지 않은 것처럼 행동하면서, 내면의 극심한 고통을 느끼지 않기 위해 마음을 단단하게 만드는 아동의 애착유형을 가리킨다. 실험에서, 이런 회피 애착의 아동들은 엄마가 방을 떠났을 때에도 놀이를 계속하는 모습을 보였다. 그러나 그들의 심장박동수치를 측정한 결과, 그들 역시 엄마가 방을 떠날 때 비탄의 반응을 보이는 다른 아동들, 즉 '안전 애착'을 형성한 아동들과 똑같은 변화를 나타냈다.

사람에게 심한 상처를 입은 아동들 중에는 사람들 보다는 사물들과 관계를 맺는 것이 더 낫다고 믿는 아동들이 있다. 이들에게 사물은 훨씬 더 안전한 것으로 느껴진다. 예를 들면 컴퓨터 게임은 다치게 하지도 않고 떠나지도 않으며, 동반자의 느낌 그리고 연결됨, 참여함의 느낌을 준다. 한 예로 6살 된 한 소년은 엄마가 쌍둥이 동생을 낳자 엄마로부터 철수하여 TV를 껴안고 살다시피해서 치료에 의뢰되었다. 이런 아동이 치료를 받지 않는다면, 그는 인간관계를 두려워하거나 차단해버리는 성인으로 성장할 것이다. 그는 누군가를 필요로 하는 일을 두려워하게 될 것이다.

> 공포가 정신을 지배하면 마음은 감옥에 갇히게 된다.
> (브라이언 키이넌, 1992, p147)

부모의 사랑을 누군가에게 빼앗겼다는 느낌 때문에 마음이 굳어진 아동들

우리 아빠는 새로 태어난 아기가 최고라고 생각해요. (게리, 7세)

내 동생

당신의 가슴에 포근히 안긴 다른 아이
당신은 그 어린 것을 꼭 끌어안지요
한결같이 그를 향해 있는 당신으로 인해
그는 어떠한 어두움도 알지 못할 거예요.
당신 안에 나의 자리는 없지만
나는 하나하나 지켜보지요
그의 이마에 당신이 입 맞추는 것을
그가 당신을 한껏 들이마시는 것을.
너무도 달콤하고 나른한 환희가
부드러운 하품과 함께 주위에 퍼지는 것을
그의 몸이 당신에게 감싸인 채
잠드는 것을

나 아닌 다른 이를 선택한
이 부당한 신들은,
당신 안에 내 자리를 허락하지 않고
이토록 지독한 대가를 치르게 하네요.
내 고통스러운 두 눈으로
그와 함께 있는 당신의 천국을 주시하라고,
당신의 미소와 그의 작은 몸을 두른
당신의 부드러운 팔을 보라고
이토록 잔인한 장면 앞에서 나는 소리 없이 흐느낀답니다.

마곳 선더랜드

마음의 상처를 입은 어떤 아동들은 자신들이 '선호'되거나 '선택'되지 않았다는 믿음 때문에 마음이 굳어지고 거칠어진다. 그 믿음은 맞는 것일 수도 있고, 틀린 것일 수도 있다. 그들은 서로를 열렬하게 사랑하는 커플을 소외된 채 바라보아야 하는 고통에 시달린 아동일 수 있다. 그 커플은 부모일 수도 있고, 형제자매와 부모(언니와 엄마처럼)일 수도 있다. 자신이 그토록 원하는 사랑과, 욕망과 흥분이 다른 사람에게 가는 것을 바라보는 것은, 즉 그 '열렬한 커플'을 유아기와 아동기 내내 목격하는 것은 엄청난 형벌일 수 있다. '그들은 다른 누군가의 에덴동산을 부러운 눈으로 바라본다.' (암스트롱 -펄만, 1995, 개인적 대화)

그들은 이미 만들어진 커플을 자신이 개입할 여지가 없는 단일체로 경험한다. 어떤 아동들은 선호되는 아동이라고 믿고 있거나 또는 실제로 선호되는 아동에 의해서 자신이 밀려나거나 제거된다는 느낌 때문에 고통을 받는다.

때로 아동들은 부모의 가슴이나 마음을 두고 다투면서 형제나 자매를 부모의 무릎에서 밀어내려고 할 것이다. 한 어린 소년은 어머니가 새로운 파트너와 잠을 자려고 할 때마다 침대에 물건을 집어던지곤 했다. 그런가 하면 이런 식으로 항의하지 않는 아동들이 있는데, 이것은 그들의 좌절이 너무나 크기 때문이다. 그들은 자신을 배신했다고 생각되는 부모에게 더 이상 개입하려고 하지 않는다. 대신 그들은 자신의 마음속에 벽을 쌓는다.

어떤 아동들은 한 때 자기가 차지했던 사랑이 다른 사람에게 가는 것을 보면서 한없이 고통스러워한다. 어떤 어머니들은 새로운 아기가 태어나면, 큰 아이에 대한 사랑을 잃어버리고, 엄청난 노력을 통해서 겨우 그 사랑의 감정을 되찾는다. 그러나 그것은 순전히 아동의 환상일 수도 있다. 엄마는 결코 그를 저버린 적이 없었다. 다만 그녀는 민감한 시기에 아이가 만족할 만큼 사랑을 충분하게 표현해주지 못한 것일 수 있다.

아동은 부모가 자신이 원하고 요구하는 것을 갖지 못하게 하면서 자신들은 그 것을 갖고 있으며, 더욱이 그것을 서로에게만 주고 있다는 환상을 가지고 있다. (와이닝거, 1993, p123)

그러나 환상이든 현실이든 아동은 사랑, 돌봄, 호의 등과 같은 모든 정서적인 양식을 경쟁자가 독차지하고 있다고 인식할 수 있다. 또한 아동은 종종 이것을 자신이 무가치하고 열등하기 때문이라고 '이해한다.' '물론 나보다 그 애를 더 좋아하겠죠. 그 애는 똑똑하고 매력적이고 재미있지만, 난 빵점인 걸요.' '난 아무것도 줄 게 없지만, 그녀는 많은 것을 가지고 있어요.' '나는 아무 것도 아니지만, 그 애는 대단해요.' 새로 동생이 태어 난 일곱 살 소년은 자신에 대한 엄마의 사랑이 죽었다고 느꼈다. 그는 '죽고 싶어요. 하지만 난 벌써 죽었고, 이 세상도 이미 다 죽은 것 같아요'라고 자신의 고통을 생생하게 표현했다.

많은 사람들은 형제나 부모와의 경쟁관계를 그저 경쟁심이나 '불공평'하다는 느낌 또는 시기심 정도라고 잘못 생각한다. 하지만 어떤 아동들에게 그것은 훨씬 더 강력하고 고통스러운 것이다. 그것은 종종 '그냥 지켜볼 수밖에 없는' 굴욕감에 의해 강화된, 고통스러운 슬픔과 사랑의 무력감을 나타낸다. 그것은 경쟁에 관한 것이 아니라, 패배에 관한 것이다.

아동들이 부모에게 의존해 있는 동안 부모에 대한 그들의 사랑은 극도로 충성스러운 것이라는 점에서, 그들의 배신감 또한 지극히 강한 것일 수 있다. 그들은 의연하게 부모를 떠나서 다른 엄마나 아빠를 찾을 수가 없다. 이런 배신감 때문에 많은 아동들은 '난 정말 아무래도 상관없어', '누가 그런 시시한 사랑 따위가 필요하대?'라고 말하면서 안전한 은신처로 철수하고는 마음을 닫아버린다. 실제로 어떤 아동들은 여러 해 동안 형제에 대한 고통스러운 감정을 성공적으로 억압하고 마음을 닫은 후, 어른이 되었을 때 친밀한 관계 속에서 그 강렬함을 표출시킨다. 이것은 성적인 질투심과 관련된 격노의 분출을 가져올 수 있다. 이 같은 아동기를 보낸 한 여성은 남편이 자기보다 그의 가장 친한 동성친구에게 더 관심을 가진다는 이유로 강한 격노를 분출했다. 그녀는 '이상하게도 나는 우리 사이에 있는 것은 어떤 것이든 또는 누구든 모두 다 제거해야만 한다고 느껴요. 나는 나 자신을 전혀 통제할 수 없어요'라고 말했다. 이처럼 사랑에 배신당한 아동기 경험을 가진 사람들은 그들의 파트너가 다른 이성과 관계를 맺고 있다는 사실을 알게 될 때, 자신들이 아동기에 겪었던 감정들, 즉 경쟁자에 의해 잊혀지고 무시당하고 지워졌던 것과 관련된 강렬한 감정들을 다시 경험하게 되고, 그 결과 끔찍스러운 신체적 공격이나, 살인을 할 정도로 극렬한 격노에 휩싸일 수 있다.

절실하게 사랑하고 필요했던 사람이 죽거나 너무 오래 떠나 있을 때, 아동의 마음은 굳어질 수 있다

관계의 파괴나 상실이 폭력으로 쉽게 이어질 수 있다는 사실은 이미 잘 알려져 있다(De Zulueta, 1993, p291). 아동에게 있어서 삶에서 가장 중요한 인물 중 하나를 상실하는 데 따른 충격과 고통 그리고 깊은 슬픔은, 외로움과 버림받음 그리고 그리움과 갈망의 감정과 결합하여 난폭한 공격-그의 자기(self)에 대한 습격-으로 다가올 수도 있다. '상실에 의한 공격'은 그의 모든 희망, 신뢰, 사랑 그리고 그의 세상이 모두 곤두박질치는 것처럼 느껴지게 만들 수 있다. '그는 온 힘을 다해 어머니를 사랑했지만, … 그녀는 떠나버렸다. 그는 그녀가 언제까지나 머물러 있을 거라고 믿었지만, 그렇지 못했다.'

이런 힘든 감정들과 관련해서 아무런 도움을 받지 못한 아동은 감정을 억압하거나 자신을 무감각하게 만들기 쉽다. 또한 이것은 종종 남을 괴롭히는 것과 같은 반사회적인 행동으로 나타나기도 한다. 8살 된 샘은 아버지가 떠나고 3주 후에, '아빠가 떠났을 땐 슬펐지만 이젠 정상이에요'라고 말했다. 그러나 견디기 어려운 감정들로 인해 마음이 굳어진 샘은 여전히 관계의 상실로 인한 격노와 분노에 사로잡혀 있었다. 그는 놀이터에서 다른 아동들을 때리기 시작했다. 이러한 행동은 관계의 상실이 가져다주는, 공격받는다는 느낌으로 인해 역시 난폭한 행동으로 항의하고 있는 것이다. 엄마나 아빠가 가버리면, 아동의 분노나 격노를 받아줄 수 있는 사람이 없기 때문에 공격은 다른 누군가에게로 향한다. 그들은 이러한 방식으로, 부재한 엄마나 아빠를 아직도 마음속에서 좋은 대상으로 간직한 채, 세상에 대해 얼마간의 좋은 느낌을 유지하려고 한다.

일차적인 관계의 단절은 또한 정신생화학적으로 뇌에 심각한 붕괴를 야기할 수 있다. 다시 말해서 싸움이냐 도주냐와 같이 원시적인 반응을 쉽게 일으키는 스트레스 호르몬인 코티솔이 혈액 안에 지나치게 분비될 수가 있다. 퍼트는 그의 **정서의 미립자들**(1997, p271)이라는 책에서, 젖은 제공받지만 접촉하거나 안아주는 어미가 없는 아기 원숭이에 대한 연구결과를 소개했다. 그 아기 원숭이들은 정신적인 외상과 우울의 증상을 보였으며, 그들의 혈액검사는 매우 높은 코티솔 수치를 보였다. 하지만 아기 원숭이들을 잘 안아주는 나이 든 '원숭이 치료사'를 데려와 그들을 안아주게 하자 코티솔 수치는 극적으로 떨어졌고, 그들은 싸움이냐 도주냐의 비상사태에서 벗어날 수 있었다.

할로우와 미어스(1979)도 어린 시절에 오랫동안 어미와 떨어져 있었던 원숭이들에 관한 연구결과를 보고했다. 그들은 어미를 경험하지 못한 원숭이들이 나중에 어미가 되었을 때, 자신의 새끼에게 어떻게 대하는지를 연구하였다. 연구결과는 이들이 새끼에게 극도로 잔혹한 폭력을 행사한다는 것이었다.

> 오래지 않아 우리가 발견한 것은 우리가 새로운 동물 즉, 어미 없는 어미 원숭이를 만들어냈다는 사실이었다. 어떤 종류의 사랑도 받아 본 경험이 없는 어미 원숭이들은 자신의 새끼를 사랑할 수 없었고, 불행히도 모성이 결핍된 많은 인간들이 그러하듯이, 아무런 감정이 없었다 … 대부분의 어미 없는 어미 원숭이들은 자신의 새끼들을 본체만체 했지만, 어떤 어미 없는 어미 원숭이들은 새끼들의 얼굴을 밟아 뭉개거나 다리와 손가락을 깨물어 씹고, 심지어 한 어미는 새끼의 머리를 물고 달걀껍질처럼 부수어버리는 행동을 했다. 우리가 아무리 사악한 상상을 한다 해도 실제의 이 원숭이 어미들만큼 흉악한 대리모를 생각해낼 수는 없을 것이다. (할로우 & 미어스, 1979, p289)

많은 동물 연구들은 새끼였을 때 경험하는 애착의 붕괴가 폭력이라는 결과를 가져다준다는 사실을 보여준다(드 줄루에타의 뛰어난 저술을 보라, 1993).

이제 인간에 대해 생각해보자. 1950년대와 1960년대에 런던 타비스톡 센터의 심리학자들인 로버트슨 부부는 어머니로부터의 분리가 유아에게 미치는 영향을 보여주기 위해 영상물을 만들었다. 그들은 어머니가 출산을 위해 병원에 가있는 동안 장기 탁아소에

맡겨진 유아들을 연구하였다. 이 영상물은 이런 아동들이 심리적으로 퇴행하는 모습을 보여주었는데, 그들은 아주 분명히 '저항에서 절망을 거쳐 탈애착'으로 옮겨갔다(보울비, 1978). 탈애착(마음이 굳어짐)은 슬픔과 절망적인 그리움 그리고 갈망으로 인한 고통이 감당할 수 없는 것으로 느껴질 때에 발생한다. (어린 아동이 어머니로부터 너무 오래 떨어져 있을 경우, 그는 엄마가 영원히 가버린 게 아니라는 사실을 이해하지 못한다.) 그러므로 그의 고통스러운 감정은 단단한 마음과 경직된 자립심으로 대체된다 - '나는 엄마를 필요로 하지 않아. 난 스스로 나의 평정을 유지할거야, 이젠 내가 통제할거야. 더 이상 아무도 나를 상처 입히지 못해.' 그러나 이러한 아동들도 상실에 의한 공격의 위협이 있을 때는 쉽게 분노나 증오와 같은 방어로 스스로를 무장한다.

로버트슨은 어머니의 출산으로 9일 동안 장기 탁아소에 보내졌던 존이라는 한 살 된 아기의 경험을 영상물로 만들었다. 그가 여섯 살이 되었을 때 이루어진 추후의 연구 결과는 다음과 같다.

> 그는 여전히 긴장하고 불안해했다. 특히 그는 자신에 대한 어머니의 사랑을 확신하지 못했고, 어머니에게 이유 없이 한바탕 적대적인 행동을 하곤 했다. 그 역시 그런 자신의 행동에 대해 당혹스러워 했으며, 하루는 '엄마, 왜 난 엄마에게 그렇게 못되게 굴지?'하고 슬프게 말했다. (로버트슨 & 로버트슨, 1969)

존의 어머니는 분리가 있기 전이나 후나 변함없이 그를 사랑했다. 그러나 일주일 넘게 어머니에게서 분리되었던 그의 경험은 그로 하여금 여러 해 동안 어머니에 대해 분노하게 만들었다. '존'의 경험에 대한 영상물과, 다른 유사한 필름들은 지금도 대중에게 공개되어 있다. (어머니/아기 분리에 대한 필름의 목록은 '콩코드 영상물 회의, 201 Felixstowe Road, Ipswich, Suffolk IP3 9BJ, UK'에서 구입할 수 있다)

다음은 상실을 겪고 난 이후로 남을 괴롭히는 아이가 된 아동들이 놀이에서 지어낸 이야기이다.

닐, 6세
닐은 다른 아동을 공격하는 행동으로 인해 학교에서 종종 따돌림을 받았다. 닐은 어머니를 잃은 후에 그녀를 애도하는 작업을 해낼 수 없었다. 그것은 그에게 너무나도 고통스러운 일이었다. 그의 아버지는 가족이 아니라 일과 결혼한 사람이었다. 그의 이야기는 그의 절망적인 난폭행위들이 견디기 어려운 정서적 굶주림의 결과임을 보여주고 있다.

'이것은 산더미처럼 커다란 거인의 이야기에요. 그의 부모는 다 죽었어요. 하지만 거인은 혼자서도 살 수 있기 때문에 괜찮아요. 그 산처럼 큰 거인은 세상을 박살냈어요. 그는 아주 힘이 세다고 느껴요. 하지만 그에게는 먹을 게 없어요. 누군가가 햄버거를 줬지만, 그것으로는 모자라요. 한 번도 충분한 적이 없어요. 그는 정글로 가서 사자와 호랑이를 몽땅 먹어치웠지만, 여전히 배가 고파요. 또 세상에서 제일 큰 슈퍼마켓에 가서 초콜릿과 사과파이와 과자를 먹어치우지만, 그래도 배가 고파요. 무슨 짓을 해도 배고픈 걸 없앨 수가 없어요. 밤에 잠자리에 들기 직전이 가장 배가 고파요. 그래서 그는 침대를 박살냈고, 그 다음엔 침실을, 집을, 거리를, 그리고 세상에 있는 모든 것들을 다 박살냈어요. (닐의 어머니는 그가 잠들기 전에 침대에서 그를 꼭 껴안고 이야기를 들려주곤 했다.)

다른 회기에서 닐은 '내 생각에 아기들은 배가 고파서 그렇게 우는 것 같아요' 라고 말했다.

샐리, 6세
샐리가 그토록 사랑했던 아버지는 어느 날 말없이 집을 나갔다. 샐리는 그를 애도하지 못했다. 그녀는 차가운 아이가 되었고, 거칠고 난폭하게 행동하기 시작했다. 놀이에서 그녀는 항상 요새를 만들곤 했다. '나는 사람들을 아주 잘 막아내거든,' 그녀는 입버릇처럼 말했다.

아롬이처럼 그녀는 자신을 해치는 사람들을 방어하기 위해 요새를 만들었다. 그녀가 한 이야기들의 주제는 대부분 무언가가 들어오지 못하게 하는 것이었다. 치료를 통해 결국 얼어붙었던 마음이 녹아내리고 애도할 수 있게 되었을 때, 그녀가 막으려고 애썼던 것은(의식적 자각으로부터) 그녀 자신의 슬픔의 호수였음이 드러났다.

사라, 12세

사라의 어머니는 사라를 다루는 것이 힘들어서 그녀를 보호시설로 보냈다. 그러자 사라의 마음은 굳어졌고, 주기적으로 그 시설의 가구들을 부수었다. 그녀는 모든 사람들과 물건들에 자신의 노여움과 격노를 퍼부었다. 때로는 창문 쪽을 향해 소화기를 집어던졌다.

치료를 받은 지 6개월쯤 되어 사라의 얼었던 마음이 녹기 시작하자, 그녀는 모든 분노 아래에 깔린 슬픔과 절망을 표현할 수 있었다. 놀이에서 그녀는 계속 두 개의 머리를 가진 괴물이 엄마(작은 인형으로 표현된)를 잡아먹게 했다. 그러나 어느 날 치료시간에 사라는 괴물이 엄마를 토해내게 하고는 인형-엄마를 무릎에 안고 한참 동안 흐느껴 울었다. 그녀의 모래놀이에서 표현된 세상(그림 4)은 엄마와 떨어져 있게 된 절망감, 다시는 돌아갈 수 없다는 낙담의 감정을 보여주고 있다. 엄마에게로 되돌아가는 길이 무섭고 사나운 괴물들로 가득 차 있는 이 그림은 '잠자는 숲 속의 공주'에서 사랑에 빠진 왕자가 공주에게 다가가기 위해 올라야 했던 가시나무 장벽을 연상시켰다. 그러나 안타깝게도 '잠 자는 숲 속의 공주'와는 달리, 이 작은 소녀는 엄마에게서 그와 같은 '사랑의 증거'를 찾지 못했다.

그림 4 잠자는 숲 속의 공주

사랑이나 욕구에 상처받은 아동들이 분노하고 증오하고 남을 괴롭히는 삶으로 돌아서는 이유

> 어찌 그리도 마음이 굳어져
> [당신의 아이들을] 죽이려 하나요? 그 마음은 강철인가요?
> 그래서 그들 앞에서 아무런 눈물도 흐르지 않는 건가요?
> (메디아를 위한 코러스, **유리피데스**, 1994, p32)
>
> 그는 사랑의 기쁨이 절망적으로 가로막혀 있는 것으로 보이기 때문에, 미워하는 즐거움에 자신을 넘겨주고 거기서 만족을 얻으려 할 것이다.
> (페어베언, 1952, p27)

사랑이나 욕구가 외상이 될 정도로 상처를 입게 될 때, 많은 아동들은 삶을 증오하거나 삶에 대해 분노하는 반응으로 옮겨간다. 6살 된 제이슨은 '나는 슬퍼지면 밖에 나가 뭔가를 부숴요'라고 말했다. 건트립은 이것을 가리켜 '사랑 때문에 허기를 느끼는' 것이 아니라 '사랑 때문에 분노를 느끼는' 문제라고 불렀다(1952, p24). '허기' 역시 사랑의 외상에 따른 결과이지만, 이것은 마음을 닫는 것과는 반대로 필사적으로 사랑과 관심을 구하는 모습으로 나타난다.

어떻게 사랑의 고통이 증오나 분노로 변하는가? 첫째, 어떤 감정들은 아동에게 아주 위협적으로 느껴지기 때문에 신속히 좀 더 편한 다른 감정으로 대치되어야 한다. 보다 편한 감정으로서 종종 분노가 선택되어진다. 예를 들면, 아롬이는 마음에 상처를 느낄 때 남을 괴롭히는 행동을 했다. 그는 스스로에게 자신은 상처 입은 것이 아니라 화가 난 것이라고 말함으로써 아픈 감정을 느낄 필요가 없게 되었다. 분노는 마치 효과적인 약물처럼, 적어도 얼마동안은 마음의 상처를 잊게 해준다. 대부분의 아동들은 마음에 상처를 입거나 누군가를 필요로 하거나 상실로 인해 비탄에 빠질 때, 깊은 정서적 고통을 느끼기보다는 분노를 느끼는 편이 더 낫다고 생각한다. 왜냐하면 갈망하고 상처입고 거부당하고 사랑받지 못한다는 느낌에 자신을 개방하는 것은 산산 조각나는 느낌, 무력하고 무능하며 찢겨지는 느낌을 가져다주지만, 분노는 '한 데 모으는 느낌,' 능력 있고 강하며 결집되는 느낌을 가져다주기 때문이다.

그러나 안타깝게도 아동이 지속적으로 분노하거나 공격적인 행동을 할 경우, 이것은 그에게 사랑에서 우러난 반응이 제공될 수 있는 기회를 차단해 버린다. 화를 내는 아동을 보고 마음이 움직여서 '안됐다, 이 아이한테 뭔가 아주 나쁜 일이 있었나보구나' 하고 생각할 사람은 거의 없다. 그리고 이 차가운 반응은 다시 이 화난 아동의 방어를 강화시킨다. 우리가 교실에서 흔히 보듯이, 마음의 상처로 인한 슬픔을 공격 행동이나 분노 반응을 통하여 표현하는 대부분의 고립된 아동들은 곤경에 처하게 된다. 슬프게도 30명쯤 되는 교실 안에서 다른 아이들을 괴롭히는 억세고 화가 난 아동은 '나는 정말 마음이 아파요. 우리 엄마가 나보다 내 아기동생을 더 좋아하는 것 같아요.' 또는 '아빠가 엄마를 때리는 걸 보는 게 힘들어요'라고 말하지 못한다. 그래서 이들은 이해와 공감을 받는 대신 처벌을 받는다. 9살 된 필립은 치료회기에서, '엄마가 나를 안아주었으면 좋겠어요. 하지만 나는 이렇게 요구하는 대신에 엄마를 때려요. 내가 왜 그러는지 나도 모르겠어요.'라고 말했다.

둘째, 아동이 '엄마가 나를 사랑하도록 만들 수가 없다' 또는 '내가 얼마나 절실하게 엄마를 필요로 하는지 알려줄 수가 없다'는 것을 깨닫게 되면서 자신이 너무 무능하다고 느낄 때, 그는 오히려 공격하고 파괴하고 싶은 욕구를 갖게 된다. 왜냐하면 그는 자신의 무능한 사랑과 욕구에 의해서 자신이 공격받고 파괴당했다고 느끼기 때문이다. 이러한 고통은 아동으로 하여금 마치 부상당한 동물처럼 난폭한 행동을 하게 할 수 있다.

> 사람은 다른 사람들의 마음을 움직이고, 반응하게 하고, 자신을 사랑받는 존재로 만들 수 없다는 무능감 때문에 가학적이 된다. 이러한 사람은 자신의 무능을 다른 사람들에게 힘을 과시하려는 욕망을 통해서 보상하려고 한다.
> (프롬, 1973, p263)

남을 괴롭히는 많은 아동들은 한 때 자신의 요구에 의해 공격받는다고 느꼈기 때문에 도움이 필요한 다른 이들을 보면 견딜 수가 없다. 그들은 그것을 보게 되면 공격하고 없애고 싶어 한다. 그래서 그들은 놀이터에서 엄마를 찾으며 우는 어린애들을 공격한다. 그는 도움을 요청하는 다른 사람들을 공격함으로써, 자신의 요청이 거절당하거나 수치스럽고 분노에 찬 반응을 받았을 때에 자신이 느꼈던 고통을 재연한다.

어떤 아동들은 반복적으로 거절을 경험을 하면서, 자신이 너무나 필요로 했던 사람들을 적극적으로 미워하거나 그들을 향한 필요를 아예 부인하거나 혹은 그들에 대한 증오를 다른 사람들에게 전가한다. 그런 점에서 쇼네월프는 '누군가에 대한 증오는 그 사람에 대한 좌절된 욕구를 나타낸다'(1991, p14)고 말했다. 만일 상처를 입힌 사람이 자신이 상처 입혔다는 것을 진심으로 듣고, 알고, 이해한다면, 대부분의 상처는 단지 상처로서만 머물 것이다. 그러나 상처를 입힌 사람이 자신이 상처 입혔다는 것을 듣고 이해하고 받아들이지 않는다면, 그 상처는 증오로 변할 것이다.

그러므로 괴롭힘을 당하는 아이는, 반응하지 않거나 거절하는 부모에게서 괴롭히는 아이는 놀이터에서 작고 약하고 '중요하지 않은' 아이들을 공격하는 것이 부모를 공격하는 것보다는 (만일 그랬다가는 더더욱 사랑받지 못할 것이니까) 훨씬 더 쉽고 안전하다고 느낀다. 이런 경우, 약자를 괴롭히는 것은 상처 입은 아이가 자신의 끔찍스러운 감정들을 비우기 위해서 다른 아이들을 마치 변기처럼 사용하려는 필사적인 행동이다. 이러한 배설 과정을 통해서, 남을 괴롭히는 아이는 희생자로 하여금 자신이 느꼈던 무기력하고 무능한 느낌을 갖게 하려는 것이다. 그런 점에서 약자를 괴롭히는 행동 역시 무언가를 의사소통하려는 행동으로 볼 수 있다.

사랑에 배신당했다는 느낌 때문에 마음이 굳어진 아동들은 경쟁자로 지각되는 사람에게 심한 분노를 느낄 수 있다. 이들은 자신의 고통을 행패로써 표현할 수도 있다. 이들은 부모에게 직접적으로 화를 내는 것은 자신이 경험하고 있는 작은 사랑마저 위태롭게 만들 수 있다고 느끼기 때문에, 자신의 분노를 형제자매나 놀이터의 다른 아이들에게 전치시킨다. 예를 들면, 6세 된 톰은 어머니가 그의 새 누이동생을 돌보는 일에 몰두하는 모습을 보면서 크게 상처를 입었다. 그는 학교에서 '뚜렷한 이유 없이' 작은 여자아이들의 머리를 때리거나 여자 선생님을 발로 찼다. 사랑의 상처로 아픈 마음을 견딜 수 없었던 그는 분노에 찬 행동으로 옮겨갔다. 때로 아동은 '만일 내가 저 애를[내 동생 혹은 놀이터의 어떤 아이를] 공격하지 않는다면, 나는 내 안의 참을 수 없는 고통에 의해 파괴될 것'이라는 느낌(의식적인 자각 없이) 때문에 행패를 부린다. 그는 경쟁자(엄마에 대한 자신의 사랑을 방해하는)와 자신의 극심한 고통을 모두 한꺼번에 제거할 수 있다는 희망 아래, 자신과 자신의 '영역'을 필사적으로 지키려는 상처 입은 동물처럼, 그의 경쟁자를 공격한다.

> 그 고통으로부터 나는 자유하리라,
> 그렇지 않다면 나는 피로 얼룩진 도끼로 길을 헤쳐가리라.
> (셰익스피어, **헨리 6세**, 3편 3막 2장, v, 180)

사랑에 배신당한(부모의 사랑을 다른 사람에게 빼앗긴) 감정으로 인해 남을 괴롭히는 아이가 된 아동들의 이야기 속에는 보물, 보석 또는 매우 귀중한 어떤 것을 두고 다투는 두 사람의 이야기가 자주 등장한다. 이야기는 종종 주인공이 매우 소중한 것을 도둑맞았다고 느끼거나 그것을 잃어버리는 것으로 전개된다.

토니, 9세
토니의 아빠는 토니가 5살 때 집을 나갔고, 토니는 한동안 엄마와 단둘이 지냈다. 그런데 엄마에게 새 남자친구가 생겼다. 전에는 그런 적이 없던 토니는 이제 남을 괴롭히는 아이가 되어 놀이터의 아이들을 때렸다.

이야기 1: 키가 '100 피트나 되는 왕 (무력함을 감추기 위해 아롬이가 허세를 부렸듯이) 이 있었어요. 그러나 왕이 슬프다는 것을 아는 사람은 아무도 없었지요. 푸른 도깨비는 아주 부자였는데, 왕은 그 푸른 도깨비한테서 보물을 훔쳤어요. 하지만 그 보물들은 왕의 손에 들어오자마자 모래로 변했어요.'

이야기 2: '두꺼비와 개구리가 다이아몬드를 두고 서로 싸우고 있었어요. 두꺼비는 다이아몬드를 차지하려고 개구리를 죽였어요. 그런데 두꺼비는 그것이 끔찍하게 느껴졌어요.'

그리고는 남자와 여자를 그리고, '이 둘 사이에 나를 그릴 거야'라고 말했다.

샐리, 8세
샐리는 새 여자동생이 태어나기 전까지는 행복한 아이였다. 그러나 여동생이 태어난 후에 샐리는 드세고 거친 아이가 되어 다른 어린 여자아이들을 괴롭혔다. 그녀의 엄마는 샐리에게 몹시 실망했다.

이야기 1: '인어공주[아마 그녀의 여동생]는 바다왕국의 여왕[어머니] 곁에 있었고, 신데렐라는 바닷가에서 그들을 바라보고 있었어요. 여왕은 인어공주를 더 바짝 끌어안았어요. 하지만 밤에 신데렐라는 몰래 숨어들어가 여왕의 테이블에서 보물을 훔쳐 내는 데 성공했어요.' (이야기 도중에 샐리는 한 번 실수로 여왕을 '엄마'라고 불렀다.)

이야기 2: '엄마 말과 아기 말은 참 착했어요, 하지만 그들은 항상 물려죽고 말아요.'

이야기 3: '강도가 들어 와서 훌륭한 젖소를 훔쳐갔어요. 이것은 너무나 슬픈 일이었기 때문에 모든 가게들은 문을 닫고 셔터를 내려야 했어요. 그래서 이제는 아무도 우유를 살 수 없게 되었어요.'

트레이시, 9세
트레이시는 아빠가 남자 동생만을 사랑하고 자신은 사랑하지 않는다고 믿었다. 그녀는 아빠가 동생을 무릎 위에 앉히고 흔들어주는 것을 멍하니 바라보곤 했다. 트레이시는 학교에서 매우 화를 잘 내는 아이가 되었다. 그녀는 자신의 친구들이 다른 친구들을 사귀는 것을 견딜 수가 없었다.

인형의 집 놀이에서, 트레이시는 아빠인형을 남동생인형과 함께 소파에 앉게 했고 자신을 나타내는 인형은 그들과 떨어져 앉게 했다. 그리고는 아빠인형과 남동생인형에게 갈색 물감을 퍼부었다.

죠, 7세
죠는 어린 여자아이를 때린 일로 학교에서 정학을 맞았다. 죠는 새로 태어난 여동생에 대한 엄마의 사랑 때문에 깊은 배신감을 느꼈다.

죠가 치료에서 만들어낸 이야기에서 '지저분한 아기'는 항상 죽는다. 돼지는 고양이에게 '네 새끼 고양이들을 죽일 거야'라고 말한다. (그의 어머니는 집에서 그를 몇 차례나 '저 밖에 모르는 돼지'라고 부른 적이 있다.)

아동은 정말로 중요한 사람들에게 긍정적인 반응을 불러일으키지 못할 때 마음이 굳어버린다

아동들은 모두 사람들에게서 기쁘고 사랑이 넘치는 자랑스러운 반응을 얻어내고 싶어하며, '와! 정말 멋진 모래성을 만들었구나!' 혹은 '이렇게 근사한 점토 피자는 처음 봤어!'와 같은 말들을 듣고 싶어 한다. 그리고 그들은 세상에서 그들에게 가장 중요한 어른들의 마음을 환하게 해주고 싶어 한다. 그들이 이러한 반응을 얻는 데 실패할 경우, 그들은 '엄마, 내가 사랑의 선물로 준 그림을 좀 더 칭찬해 줄 순 없나요'라거나 '엄마, 엄마가 나에 대해서 느끼는 기쁨을 좀 더 보여 주세요'라고 말하지 않는다. 대신 그들은 마음을 굳게 닫은 채, '집어치워! 이제부터는 내가 한 것을 엄마가 좋아하든 말든 상관하지 않을 거야'라고 마음먹는다. 그리고 더 이상 참혹한 실망감이나 모멸감을 느끼지 않기 위해서 단단하고 견고한 방어들을 세우기 시작한다.

그러나 이처럼 정서를 차단하는 것은 문제에 대한 진정한 해결책이 되지 못한다. 왜냐하면 인간은 다른 사람에게 영향을 주고 드러내고 세상에 흔적을 남기고자 하는 기본적인 욕구를 가지고 있기 때문이다. 이러한 욕구는 그가 아무리 자신에게는 그런 것이 없다고 말한다고 해도, 간단히 없어지지 않는다. 깊은 곳에서 흐르고 있는 이러한 욕구는 우리 자신들을 구성하고 있는 중심적인 요소이다. 우리는 다른 사람에게 영향을 끼칠 수 있다는 감정이 들 때, 어느 정도 자존감을 느낄 수가 있다. 다른 말로 하면, 내가 누군가에게 영향을 끼칠 수 있을 때에야, 비로소 나는 보잘 것 없는 사람(nobody)이 아니라 어엿한 사람(somebody)이라고 느낄 수 있다. 아무런 영향력이 없는 나는 전혀 존재하지 않는다고 느껴질 수 있다. 이러한 멸절 불안이야말로 우리가 알고 있는 가장 깊은 인간의 심리적 고통 중의 하나이다.

엄마나 교사에게 적극적이고 창의적으로 영향을 미칠 수 없다고 생각하는 아동들은 부정적인 영향을 끼치는 쪽을 선택하고, 화를 돋우거나 벌을 주도록 그들을 자극한다. 그렇게 하는 이유는 적어도 파괴적이거나 반사회적인 행동은 확실한 반응을 보장해 주기 때문이다.

아동이 부정적인 행동으로 관심을 끄는 이유는, 긍정적이고 주의 깊고 애정 어린 관심을 충분히 받지 못했기 때문이라는 사실은 이미 잘 알려져 있다. 파괴나 비행은 아동에게 자신이 힘 있는 존재라는 느낌을 준다. '내가 뭔가를, 누군가를 손상시킬 때, 나는 영향력이 있는 걸 알 수 있고 살아있음을 느껴. 그때 나는 어엿한 사람이 되는 거야.' '내가 당신에게서 사랑이나 따뜻함을 불러일으킬 수 없다면, 최소한 두려움이나 증오는 일으킬 수 있어야겠지. 적어도 내가 그런 영향쯤은 줄 수 있을 거야.'

수 제너는 런던의 모즐리 병원에서 부모-아동 게임이라는 매우 혁신적이고 효과적인 치료법을 개발하였다(제너, 1999). 이것은 부모가 통제 불능으로 여기는 아동들을 위한 게임으로서, 부모들이 자녀들과 놀이하는 모습을 관찰하게 된다. 제너는 이들 부모들이 자녀들과 교류하는 방식에 문제가 있음을 거듭 발견했다. 즉, 그들은 진심으로 놀이를 즐기거나, 긍정적인 반응을 불러일으키거나, 정말로 좋은 어떤 것을 만들어낼 수 있다는 느낌을 주지 못하는 것으로 나타났다. (이는 대개 그들 역시 자신의 부모들로부터 따뜻하고 애정 어린 반응을 경험하지 못했기 때문으로 보인다.)

아이의 놀이를 따라가면서 주의를 기울이거나 그가 하는 것에 관심어린 말을 건네는 대신, 이들 부모들은 명령을 내리고 비판하고, '이렇게 해. 저기다 놔. 아냐, 그렇게 하는 게 아니야'와 같은 말들을 하곤 했다. 또 어떤 때는 말없이 앉아서 아이가 하는 일에 아무런 흥미도 보이지 않았다. 그들은 '야, 정말 굉장한데!'라고 말하면서 북돋워주거나 칭찬하기보다는 아이가 한 것이 제대로 되지 않았다며 비판을 하곤 했다.

아동은 이러한 부모들이 행동수정 프로그램의 결과로서, 아이가 주도하는 방식에 따라 비판하지 않고 칭찬하거나 아이가 하는 것에 참된 관심을 보여주고, 아이와 함께 즐겁게 놀이할 수 있게 되었을 때, 나쁜 행동을 멈출 수 있었다. 실제로 한 연구는 부모-아동 게임치료를 받은 정서장애 아동들과 정신분열 아동들이 사춘기가 되었을 때, 비행이 75퍼센트 감소했음을 보여주었다.

어느 부모-아동 회기에서, 한 6세 된 아동은 엄마가 반응을 보이지 않는 데 따른 고통을 느끼지 않으려고 마음을 단단하게 만들었다. 그리고 가정과 학교에서 매우 파괴적인 행동을 하기 시작했다. 치료에서 그는 장난감을 가지고 놀면서 한 번도 엄마를 보거나 말을 하지 않았다. 그의 태도는 우울한 성인을 연상시켰다. 그러나 6세밖에 되지 않은 그의 마음속의 시멘트는 아직 완전히 굳어있지 않았다. 그를 사랑하는(그리고 자신의 사랑을 표현해야만 하는) 엄마가 '와, 굉장한 파이인데!'라고 말하자, 그는 놀라워하며 엄마를 돌아보고는 무척 기뻐하며 웃었다. 이후 회기에서 그녀가 '나는 너와 노는 게 정말 좋단다'라고 말하자, 그는 몸을 돌려 엄마를 끌어안고는 '엄마, 사랑해!'라고 말했다. 거칠고 굳어버린 작은 소년의 마음은 차차 부드러워지기 시작했다.

가정이나 학교에서 힘에 기초한 상호작용을 경험할 때 아동의 마음은 굳어진다

> 인간 유아는 … 사회적인 존재로 발달하도록 프로그램 되어있다. 그리고 이 문제는 유아가 어떻게 다루어지는가에 의해서 크게 좌우된다. (보울비, 1988, p9)

어떤 가정에서는 주된 관계 방식, 즉 매 순간의 상호작용이 사랑을 중심으로 이루어지지 않고 힘이나 통제를 중심으로 이루어진다. 예를 들면, '이거 해, 그건 하지 마!' '그만두지 못해!' '바보 멍청이 같으니', '안 돼!' '그만 징징거려, 안 그러면 정말 울게 해줄 테니까' 하는 식으로 명령하고, 억누르고, 나무라고, 비판한다.

이런 가정환경에서 자란 아동은 '남을 지배하는 힘'이 아니라 '남과 함께 하는 힘'을 중심으로 관계를 맺는 방식에 대해서는 알지 못한다. 후자의 상호작용은 '우리를 힘겨루기에 가두지 않고' '다 함께' '너와 내가 함께' 그리고 '협력해서' 하는 것이다. 그것은 '우리 함께 멋지게 만들어볼까?' '이 좋은 것을 함께 나누지 않을래?' 혹은 '우리는 함께 있는 것을 즐길 수 있어'라는 표현들을 가능하게 한다.

힘과 통제를 중심으로 모든 것이 이루어지는 환경에서는 마음을 열고 따뜻하거나 부드러운 감정을 표현하는 것이 실제로 안전하지 않다고 느껴진다. 취약한 감정의 표현을 유약함으로 보는 삭막한 환경 안에서 부드러움을 유지한다는 것은 아마도 무모한 시도일 것이다. 그러므로 이러한 가정 문화로 인해 슬프고 상처를 입거나 마음이 아픈 아동들은 속마음을 닫을 것이고, 그 닫힌 마음은 시간이 지나면서 단단하게 굳어질 것이다. 매일 이런 식으로 힘과 통제를 중심으로 한 상호작용이 습관이 된 아동들은 (자상한 아줌마나 인정 많은 선생님과 같은 다른 선택 모델이 없다면) '공격자와의 동일시'-무자비한 부모를 내면화함으로써 그들과 같은 사람이 되는-라는 기제를 사용하게 된다. '이길 수 없다면, 그와 한편이 되라'는 말은 바로 이러한 상황에 해당된다.

드 줄루에타(1993, p.66)는 실제로 이 초기 지배-복종 관계방식이 어떻게 아동의 마음속에 관계의 기본 틀로 자리 잡게 되는가에 대해서 논했다. 이러한 아동들은 일생동안 모든 관계들을 힘의 우위와 열세(즉, 지배와 복종)의 문제로 만들어 버린다. 이것은 당연히 사랑을 토대로 한 모든 잠재적인 관계들을 망치고 파괴하는 결과를 가져오는데, 그 이유는 힘을 중심으로 한 상호작용이 사랑을 중심으로 하는 상호작용을 조만간 시들게 할 것이기 때문이다. 이러한 아동들은 어떤 관계에서는 누군가의 희생자가 되고(복종), 또 어떤 관계에서는 누군가를 지배한다(지배).

신체적 폭력을 휘두르는 10살 된 한 소년은 자기 반의 한 소녀를 무척 좋아한다고 말했다. 그러나 슬프게도 그가 애정을 표현하는 유일한 방식은 그녀를 때리는 것이었다. 그는 좋아하는 사람과 어떻게 지내야 하는지를 몰랐다. 협조적이고 부드러운 방식으로 사랑을 주고받는 모델이 그에게는 없었다. 누군가에게 진심으로 강렬한 감정들을 느낄 때 그가 유일하게 알고 있는 반응의 방식은 그 사람을 때리는 것이었다.

놀이터에서 다른 사람들과 매우 제한된 방식으로만 관계하는, 즉 '선택할 수 있는 관계'가 지배 또는 복종뿐인 아동들을 구별해내기란 어렵지 않다. 이러한 아동들은 상대가 누구냐에 따라서 지배와 복종의 관계가 결정된다. 놀이터 연구에 따르면(Troy & Sroufe, 1987; Main & George, 1985), 이런 아동들은 기분이 상해있거나 울고 있는 아동들에게 아무런 연민을 보이지 않는다. 다른 아이들의 슬픔에 공감하지 못하는 아동들은 슬퍼하는 다른 아이들을 언어나 신체적으로 공격하여 '입을 다물게' 하려는 경향을 보였다. 이와는 반대로, 따뜻하고 애정 어린 상호작용을 경험한 아동들은, 심지어 한 살짜리 아기조차도, 슬퍼하는 다른 아이들에게 관심을 보였다.

아동이 소년일 경우, 살벌한 가족문화의 영향력은 성별에 따른 고정관념으로 인해 열배나 더 불리해질 수 있다. 이렇게 굳은 마음을 가진 소년들은 종종 무방비 상태의 여자애나 취약한 소년들을 괴롭힌다. 그들은 다른 사람 안에 있는 자신의 원치 않는 부분을 공격하는 것이다. 외상에 대한 이론가들(반 데 콜크, 1989; 드 줄루에타, 1993)에 따르면, 이것은 그들 자신이 공격당했던 측면들을 무의식적으로 행동화하고 있는 것이다.

약자를 괴롭히거나 파괴적으로 행동하는, 지배-복종 관계에 있는 아이들의 이야기 속에는 다음과 같은 내용들이 포함되어 있다.

헤이티, 10세

헤이티는 너무 지배적이고 통제적이어서 아무도 그녀의 친구가 되려고 하지 않았다. 선생님들은 그녀의 부모가 모두 두려운 사람들이라고 말했다. 치료시간에 헤이티는 끊임없이 싸우고 있는 사람들의 이야기를 재연했고, 또한 그로 인해서 자신이 얼마나 산산조각 나는 느낌에 시달리는지에 대해서 말할 수 있었다. (그림5에서, 온갖 공격적인 이미지들에 둘러싸인 채 산산조각 나는 인물을 보라.)

헤이티는 많은 회기들에서 치료사에게 지배나 복종 중에 한 역할을 맡기려고 했다. '나는 선생님을 감옥에 집어넣을 거예요', '선생님은 나를 벌주어야 해요', '선생님은 작은 벌레이고 나는 선생님을 짓밟아버릴 거예요', '선생님은 소리 지르는 사람이에요, 나는 그게 재밌어요.'

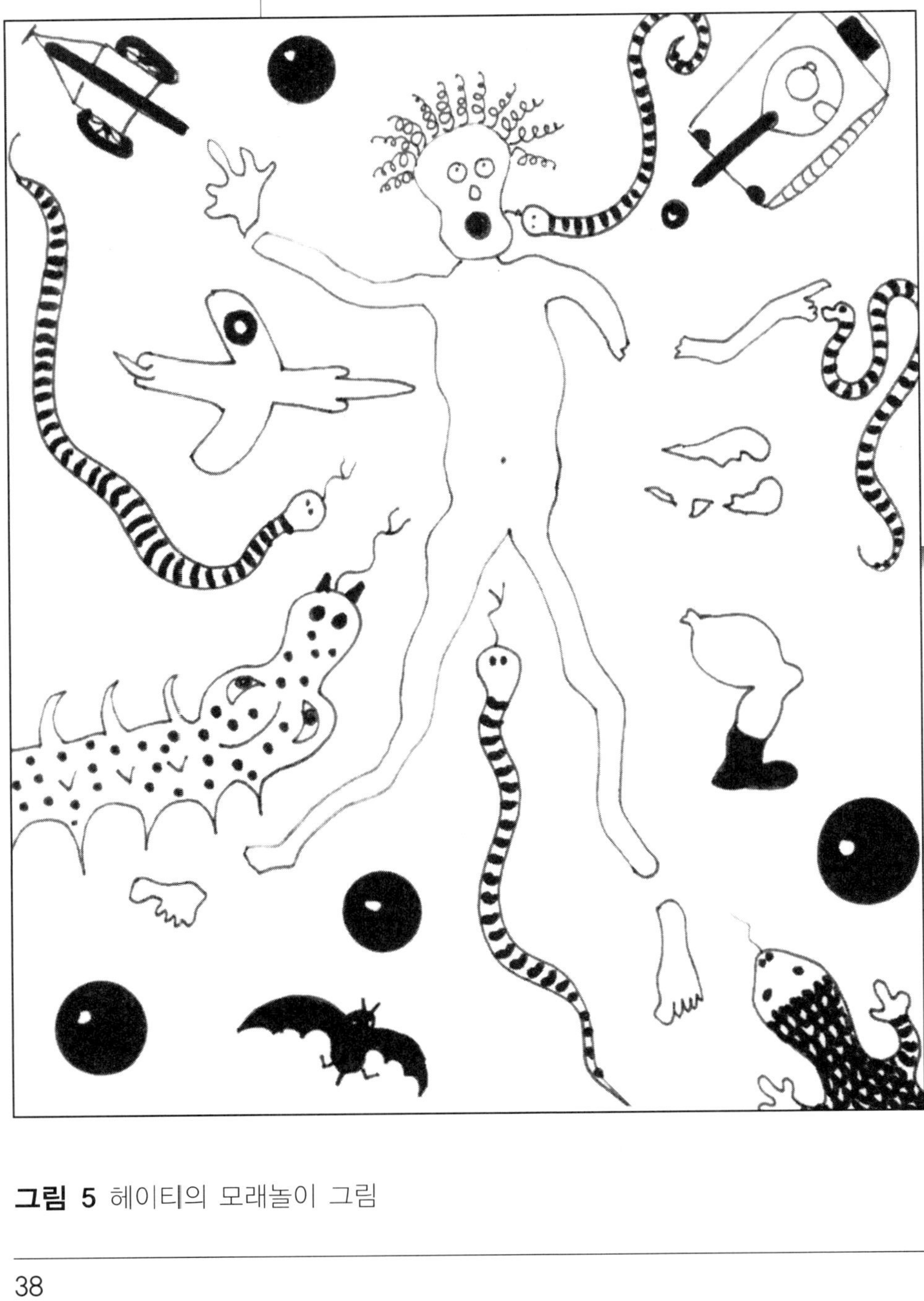

그림 5 헤이티의 모래놀이 그림

게리, 8세
게리의 아버지는 늘 분노를 폭발시키고 야단을 치는 사람이었다. 학교에서 게리는 사람들을 방에다 가두었고, 세면대에 물을 넘치게 만들었으며, 화재경보기를 여러 번 작동시켰다. 그는 자신의 이러한 행동에 대해서 아무런 죄책감도 느끼지 않는 것 같았다. 그의 이야기에는 다음과 같은 내용들이 있다.

'괴물은 작은 남자애를 완전히 짓밟았어요.'

'호랑이는 그냥 그러고 싶어서 나비를 밟았어요. 나비는 "제발 저를 죽이지 마세요"라고 말했지만 호랑이는 더욱 사납게 으르렁거렸어요.'

소피, 9세
소피의 어머니는 계속해서 아이를 학대했고, 그 일로 경찰이 자주 개입하였다. 소피는 다른 아동들과 함께 놀지 못하고 그들을 공격했다. 그녀에게는 친구가 없었다.

이야기 1: '이야기 속에 나오는 엄마는 화염에 싸여 있었어요. 그리고 그 화염은 엄마를 폭파시켜 버렸어요.'

이야기 2: '여자애가 죽었어요. 남자 형제들은 죽은 여자애의 무덤에 응가를 하고 발로 밟고, 침을 뱉었어요.' 이 이야기와 관련해서 소피는 '이 이야긴 괜찮지 않나요? 이 안에는 폭력이 없잖아요'라고 말했다. (그녀는 사람을 때려야 폭력이라고 생각하는 것 같았다.)

이야기 3: '괴물들이 수영장에서 아이들과 수영을 하고 있었어요. 아이들이 괜찮다고 생각하는 바로 그 순간에 괴물들이 공격을 해요.'

네드, 6세
네드는 양쪽 부모에게 주기적으로 맞았다. 그는 심한 분노발작으로 인해 여러 차례 정학을 당했다. 그의 이야기는 깨지고, 충돌하고, 부서지는 내용으로 가득 차 있었다. 그는 치료사에게 '아무것도 깨뜨릴 수 없다면 선생님하고 놀지 않겠어요', '뭔가를 부술 수 없다면 내가 여기에 올 이유가 없어요'라고 말했다.

외상으로 인한 견딜 수 없는 무기력감 때문에 남을 괴롭히게 된다

> 모든 박해자는 한 때 희생자였다. (밀러, 1987, p249)

아빠가 엄마를 때리거나 엄마가 아빠를 떠나는 장면을 목격하거나 성적, 신체적으로 학대를 당할 경우, 아동은 외상에 따른 무기력감으로 고통당하기 쉽다. 이때 아동은 마음을 굳게 하고, 자신의 무기력한 감정들을 무의식이라는 어두운 지하로 추방한다. 이러한 방어를 억압이라고 부르는데, 이는 무언가를 잊어버린 사실 자체를 잊어버리는 것이라고 할 수 있다.

외상에 대한 연구에 따르면 만일 견딜 수 없는 무력감과 절망감을 수반하는 외상이 억압되면 이는 종종 무의식적으로 행동화되는데, 이 때 자신이 겪었던 무기력하고 절망적인 감정을 다른 누군가가 느끼도록 만든다고 한다. 억압과 함께, 이러한 감정들은 철저히 부인되고 다른 사람들에게 투사되는 경향이 있다. 따라서 '약하고 무기력'하게 보이는 다른 사람들이 종종 경멸의 대상이 되거나 실제로 정서적 신체적 공격 대상이 된다. 이러한 상황을 지배하는 무의식적인 논리는 대개 다음과 같다. '내가 다른 사람을 두렵게 만든다면 나는 두려움을 느낄 필요가 없어', '다른 사람을 무력한 희생자로 만든다면, 나는 나의 무력한 감정을 피할 수 있어' 또는 '만일 다른 사람이 내 감정을 느낀다면, 나는 더 이상 그것을 느낄 필요가 없을 거야.'

무기력한 감정을 다른 사람에게 투사하는 이러한 방어기제는 부모들이 자신의 아이들을 언어적으로나 신체적으로 매우 잔인하게 공격하고 심지어 죽이기까지 하는 요인으로 작용할 수 있다.

> 지난 몇 년과 마찬가지로 1994년도에도 살인 범죄의 가장 큰 희생자들은 한 살 이하의 유아들인 것으로 보인다. (영국 내무성 보고서, 1994, p74)

이러한 부모들은 자신들 안에 있는 무력함과 무능함을 위험한 것으로 여겨 제거해버렸기 때문에 자녀들에게서 이것을 보게되면 참지 못한다. 약한 아이의 모습은 참을 수 없는 고통을 연상시키기 때문에 그 아이를 공격해야만 한다. '내적 연약함이나 고통을 연상시키는 것은, 설령 그것이 나 자신이나 다른 사람을 비인간화하는 결과를 가져온다 하더라도, 모두 없애버려야 한다.'(드 줄루에타, 1993, p276) 최근에 던블레인과 월버햄튼에서, 그리고 미국의 학교 운동장에서 벌어진 아동 대량학살 사건 역시 이러한 경우에 해당된다.

남을 괴롭히는 아동의 행동은 외상을 재연하는 것이며, 그 행동을 통해서 아동 자신이 어떠한 고통을 겪고 있는지를 알리려 한다는 사실을 좀 더 많은 교사들이 알 필요가 있다. 사실 남을 괴롭히는 아동들의 대부분은 전문적인 도움을 필요로 한다. 그들은 나쁜 것이 아니라 외상 후유증에 시달리고 있는 것이다. 아동이 무의식적으로 전달하고자 하는 외상을 누군가가 함께해주고 이해해줄 때에만, 아동은 이것을 정신의 의식적인 영역으로 가져와 충분히 느끼고 극복해낼 수가 있다. 그랬을 때 비로소 아동은 외상의 무의식적인 행동화를 멈출 수 있다.

우리에게 주세요

우리에게 무언가 파괴할 것을 주세요
꽃부리, 조용한 외딴 곳
친절한 동반자, 높으신 분
공중전화 부스
방송기자, 변절자
상대방 팀의 팬
가로등 기둥, 맨홀 뚜껑, 벤치
우리에게 뭔가 더럽힐 것을 주세요
석고 벽, 모나리자
자동차 흙받이, 묘비
우리에게 뭔가 강간할 것을 주세요
소심한 소녀
꽃밭, 우리자신들
우릴 경멸하지 마세요, 우리는 전령이며 선지자랍니다
우리에게 무언가 태우고, 범하고, 베고, 부수고, 더럽힐 것을 주세요
그리하여 우리가 살아있음을 느끼도록
우리에게 곤봉이나 자동소총을 주세요
우리에게 주사기나 오토바이를 주세요
우리를 불쌍히 여기세요

프리모 레비

아동들은 수치심을 느낄 때 마음이 굳어진다

모욕은 악의적인 험담처럼 언어적일 수도, 혹은 갑자기 얻어맞는 것처럼 신체적일 수도 있다. 때로는 살인적인 시선일 수도 있다. 혹은 어른이 의도적으로 창피를 주지 않아도 아동은 수치심을 느낄 수 있다. 어머니가 아이의 사랑의 표현을 외면하거나, 아이가 준 사랑의 선물을 거절하고 무관심하거나, 아이가 자랑스럽게 말한 것을 깎아내리거나

하는 것 등은 모두 수치심을 불러일으킨다.

수치심은 치명적인 정서이다. 그렇기 때문에 그것은 때로 '살인적인 수치심'(killing shame)이라고 불린다. 일단 노출되면, 그것은 개인의 인간성에 대한 중대한 공격으로 느껴진다. 아동을 수치스럽게 만드는 것은 아동에게 그의 전체-그의 행동뿐만이 아니라 그의 존재-가 나쁘다는 느낌을 갖게 한다. 아동이 외상적인 수치심 때문에 마음이 굳어질 때, 그는 대체로 다음의 세 가지 행동 중 하나를 선택할 것이다.

1 '자신의 단단한 껍질 속으로' 철수한다. 이것은 자발성이나 창의성 또는 확장성을 결여한 채, 세상에 대해서 경직되게 스스로를 질식시키는 반응이다. 문제는 이것이 그 개인의 존재방식이 될 수 있다는 것이다.

2 몰론이 '역 수치심' - '마치 자신이 어떤 수치 경험도 하지 않은 것처럼 행동하는 일종의 조적 부인' - 이라고 부른 것으로 이동한다. (Mollon, 1993, pp44-45)

3 다른 사람을 수치스럽게 만드는 행동을 한다. (수치심-격노, 아래를 보라)

2번과 3번에서 아동은 자신이 당한 것처럼 다른 사람에게 창피를 주고 조롱하거나 자존심을 상하게 할 수 있다. 자신의 아버지에게 잔인하게 모욕당했던 7살 난 벤은 놀이시간에 가장 약하고 순진해 보이는 아동들의 주변을 맴돌면서 '네 엄마는 창녀야,' '멍청이,' '호모,' '넌 돌았어' 등과 같이 말하곤 했다. 그의 희생자들은 흔히 울음을 터뜨렸는데, 그것은 벤 자신이 용납할 수 없던 인간적인 반응이었다.

수치심은 전적으로 무가치하다는 감정(종종 억압되고 투사되는)을 일으킬 뿐만 아니라, 끓어오르는 분노의 감정을 축적시킨다. '수치심-격노'라고 불리는 이것은, 모욕이라는 난폭한 공격에 대한 자연스러운 반응이다. 히틀러는 아동기에 매일 모욕을 당했다.

> 도망도 못가고, 어른이 되어서 어떤 행동을 취할 수 있게 되기까지 그는 모든 것을 견뎌야만 했다. 히틀러가 어른이 되어 정권을 잡았을 때, 그는 마침내 자신의 불행을 수천 배로 갚아줄 수 있었다. (밀러, 1987, p196)

또한 어릴 때 모욕을 당하고 굴욕감을 느꼈던 많은 살인자들은, 연쇄 살인범 위르겐 바르취가 그랬듯이, 희생자들을 죽이기 전에 그들을 고문하고 싶은 충동을 느낀다.

> 엄청난 흥분과 함께 그는 희생자 안에 있는 자기 자신을 계속해서 파괴했다. 이제 그는 더 이상 무기력한 희생자가 아니었다. 이제 그는 강력한 박해자였다! (밀러, 1987, p224)

반복적으로 폭행당할 때 아동들의 마음이 굳어진다

수년간 아동 심리치료사로서 일하면서 나는 주기적으로 그리고 때로는 아주 심하게 부모에게 매를 맞는 아동들의 놀이에서 반복적으로 나타나는 혼란스러운 주제를 발견했다. 이야기 속에서 그들은 다음과 같은 말들을 하곤 했다.

'엄마가 죽었어요', '나는 아빠가 없어요', '우리 엄마는 죽었어요-아니, 실은 아니에요', '우리 아빠는 어제 죽었어요. 진짜는 아니에요.' 어떤 점에서 이것은 사실이다. 만약 아동이 반복적으로 엄마에게 맞는다면, 그에게 엄마가 존재하고 있을지는 모르지만 진정한 엄마는 없다. 엄마와 아빠는 아동을 보호해주는 사람이지 아동이 그들의 접근으로부터 **보호를 받아야하는 사람들이 아니다.** 가끔은 자제력을 잃더라도, 엄마와 아빠는 근본적으로 따뜻하고 부드러운 존재여야 한다.

어떤 아동들은 자신들을 반복해서 때리는 부모에 대한 배신감 때문에 마음이 굳어진다. 매를 맞을 때마다 그들의 부모와의 관계는 파멸을 향해 치닫는다. 그들은 조금씩 냉혹한 마음의 자리로 이동하게 된다. 많은 부모들은 그들이 자신들을 향한 아이들의 사랑을 쉽게 파괴할 수 있다는 사실을 깨닫지 못하는데, 이는 참으로 비극이다. 그들은 혈연으로 맺어진 유대는 자동적인 사랑을 의미한다고 생각하지만, 이 얼마나 잘못된 생각인가! '입에 의한 살인(Nil by Mouth)'이라는 영화에서, 위험을 느끼는 순간마다 아내를 때리는 남편은, "우리 아버지는 '아버지'라는 말로 족하다고 하셨지. 하지만 그게 아니었어"라고 말한다.

8살인 토미는 어느 날 치료사에게 '우리 엄마가 나를 때렸어요'라고 말했다. 그는 차갑고 굳은 어조로 엄마에 대해서 말했다. 치료사는 토미의 엄마가 실제로 그녀에 대한 토미의 사랑을 파괴한 것은 아닌지 염려가 되었다. 그래서 토미의 승낙을 얻어 어머니에게 면담을 요청했다. 면담 후에야 그녀는 자신과 아들의 관계가 위험에 처해 있음을 깨달았다. 아들의 사랑을 잃고 싶지 않았던 그녀는 손상된 아들과의 관계를 회복시키기 위해 노력했다. 어머니는 아들에게 자신이 얼마나 후회하고 있는지를 말해주었다. 그녀는 회초리를 던져버렸다. 그 결과 토미의 굳었던 마음은 다시 풀리기 시작했다. 토미는 여덟 살밖에 되지 않은 어린아이였다. 이에 비해서 좀 더 큰 아이들의 경우에는 그들에게 용서받을 수 있는 시점을 놓치기 쉽다.

다음은 반복적으로 매를 맞아 마음이 굳어진 아동들의 이야기나 행동에서 나오는 주제들이다.

피터, 5세
피터는 아버지에게서 매를 맞았다. 그는 또 아버지가 남동생과 어머니를 때리는 것을 목격했다.

'다람쥐와 엄마 다람쥐는 착해요. 하지만 그들은 항상 잡아먹히고 말아요.'

'이야기 속에 아빠가 나오니?' 하고 상담자가 묻자, 그는 '아빠는 죽었어요'라고 대답했다. 피터는 또한 '정원에 서있는 큰 나무가 작은 꽃의 꽃잎을 찌른다'고 말했다.

트루디, 5세
트루디는 여러 차례 어머니에게 맞았다.
'이건 세 엄마에 관한 이야기에요. 하나는 미소 짓는 엄마이고, 하나는 진짜 엄마가 아니고, 세 번째 엄마는 죽은 엄마에요.'

트레이시, 8세
트레이시는 자주 맞았다. 그녀의 엄마는 자주 술을 마시고 소리를 질러댔다.
'이 이야기에는 항상 폭발하는 화산, 침을 쏘는 벌들, 그리고 무는 개들이 등장해요.'

'이것은 런던탑에 관한 이야기에요. 거기에는 지나가는 미사일에 맞지 않도록 창문에 창살이 있어요. 폭격을 맞지 않게 내가 꼭대기에 경보등을 그려놓았어요.'

부모의 폭력을 목격할 때 아동들의 마음은 굳어진다

바비, 6세
우리 엄마는 아빠랑 싸울 때는 착하지 않아요.

젬마, 7세
나는 그것에 대한 두려움을 찬장에 가둔 것 같아요.

아동들이 부모의 폭력을 목격한다면, 그리고 그때 그들이 느낀 감정에 대해 아무런 도움도 받지 못한다면, 그들의 마음은 굳어질 수밖에 없다. 그때 그들이 느끼는 감정을 생각해보라: 무기력한 격노, 사랑하는 사람이 다른 사랑하는 사람에게 매를 맞는 광경을 바라보아야 하는 고통, 도와주러 올 사람이 아무도 없다는 고립감, 그 일을 막을 수 없다는 절망적인 무력감. 엄마가 아빠에게 맞는 것을 본 6세 된 한 소년은 이렇게 말했다. '나는 정말 아빠를 때려주고 싶었지만, 그러기에는 내가 너무 작았어요.'

이 모든 것에 대해 마음을 닫고, 감정을 묻어버린 채, 강하고 단단해지기를 바라는 것은 충분히 이해할만하다. 끔찍스러운 장면을 목격한 아동은 너무 많은 것을 느끼기 때문에 자신의 마음속을 '단단한 것으로 채우려고 한다.' 그래야만 그러한 느낌을 느끼지 않아도 되기 때문이다. 우리가 앞에서 살펴보았듯이, 부모의 폭력을 목격한 아동들은 대개 폭력적인 아동이 되는데, 이것은 놀랄 것이 못된다. 그들은 대부분 자신이 본 것을, 이번에는 단지 역할을 바꾸어 재연하고 있을 뿐이다. 마음은 이렇게 절박한 방식으로 그러한 사건들을 처리하고자 한다.

다음은 부모의 폭력을 목격하고 난 후에 억세고 거칠어진 아동들이 지어낸 이야기이다. 몇몇 아동은 남을 괴롭히는 행동 때문에 상담에 의뢰되었다. 이 중에서 많은 경우는 도움이 전혀 소용없는 것처럼 묘사되고 있음에 주목하라. 이것은 폭력을 당하고 있는 엄마나 그 폭력을 목격하고 있는 아동을 돕기 위해서 아무도 오지 않는다는 참담한 느낌에 대한 진술이다.

모든 사례들에서 아동은 어머니가 아버지에게 맞는 모습을 그냥 바라만 보고 있었다.

샐리, 7세

부모의 폭력을 목격한 후 샐리는 극도로 공격적이 되었다. 그녀는 친구가 아무도 없었다.

'이 이야기 속에서는 너무나 많은 것들이 망가져요. 심지어는 엄마도 망가져요. 그래서 어린 여자애는 폭탄이 되었죠. 그러면 아무도 건드리지 못하거든요.'

리, 8세

리는 고립되고 철수한 아이였다.

'작은 개구리가 '엄마, 엄마, 큰 늑대가 나타났어요, 무서워요, 도와주세요!' 하고 엄마를 불렀지만 엄마 개구리는 무서워서 도망쳐버렸어요. 경찰관이 도와주려고 했지만, 오는 길에 가시덤불에 갇혀버렸어요.'

다른 이야기에는 '성난 들고양이와 어린 소녀'가 나온다. 교사가 그 소녀가 왜 죽느냐고 묻자, 리는 '혼자서 너무 두려웠기 때문이에요'라고 대답했다.

피터, 7세

피터는 울고 있는 여자 아이의 코를 주먹으로 때려서 정학을 당했다.

'이 이야기에서 엄마는 또 다시 파묻히는 집속에 있어요. 그 남자를 죽여야 해요. 이것은 슬프고 무서운 이야기에요.'

'돼지가 아빠의 마음을 빼앗아갔기 때문에 아빠는 자신의 친절함을 기억하지 못해요.'

'소방차가 구조하러 왔지만, 오는 길에 파괴되고 말았어요.'

샘, 8세

샘은 아빠가 여동생을 때리는 것을 보았다. 그러자 엄마는 아빠를 공격했고, 샘과 오빠는 엄마를 아빠에게서 떼어 놓아야 했다. 지금 샘은 학교에서 자기보다 약한 아이들을 괴롭히고 있고, 학교 공부는 많이 뒤쳐져 있다. 아무도 믿지 못하는 그녀는 다음과 같이 말했다. '이 이야기 속에서 사람들은 항상 싸워요. 그들은 심하게 다쳐서 피를 흘리지만, 그래도 여전히 싸워야만 해요. 경찰관들은 호주의 먼 바닷가에 모두 잠들어 있어요.'

'꼬마 깡패 아롬이'를 읽어 준 뒤에 무엇을 할 것인가?

이 부분은 아동에게 아롬이 이야기를 읽어준 뒤에 할 수 있는 활동들, 그리고 나눌 수 있는 이야기들을 제공한다. 특히 과제와 게임과 연습들은 아동이 이야기의 주제에 대해 생각하고, 표현하고, 그에 대한 자신의 느낌을 더 많이 소화할 수 있도록 고안된 것이다.

앞에서도 논의했듯이, 아동은 대개 자신이 느끼는 바를 분명하고 충분하게 일상적인 언어로 이야기하지는 못하지만, 행동으로 보여주거나 실연하거나 그림이나 놀이로 매우 훌륭히 표현해 낸다. 그러므로 여기에 제시되어 있는 대부분의 연습문제들은 창조적이고 상상적이며 놀이적인 표현방식을 지원하고 있으며, 또한 아동이 스스로 이야기를 만들어 반응하도록 격려하고 있다.

지나치게 많은 질문을 피하기 위해서 (아동은 심문을 받는다고 느끼기 쉽다), 어떤 연습문제들은 단순히 네모 칸에 표시를 하거나 단어 또는 그림을 고르도록 되어있다.

참고 과제와 연습문제들은 일정한 순서에 따라 하도록 정해져 있지 않다. 또한 한 번에 너무 많은 것을 하면 아동이 질려버릴 염려가 있다. 그러므로 특정 아동에게 적합하다고 생각되는 것을 아동의 연령과 그 주제에 대한 개방성 정도를 고려하여 선택하면 될 것이다. 아동을 위한 설명은 회색 글상자 안에 제시되어 있다.

☆ 얼어붙은 감정들

여러분은 얼어붙은 감정들을 가지고 있다고 생각하나요? 얼어붙은 감정들이란 너무 아파서 충분하게 느낄 수가 없는 감정들을 말하는 거예요. 그래서 여러분은 그것을 느끼지 않으려고 노력하지요. 그것은 또한 혼자서 느끼기에는 너무나 외로운 감정들이에요. 아래에 제시된 감정들 중에서 여러분을 얼어붙게 했다고 생각되는 것이 있으면 표시해보세요.

- 분노 ☐
- 상처 ☐
- 슬픔 ☐
- 울화통 ☐
- 실망 ☐
- 배신감 ☐
- 심한 외로움 ☐
- 누군가가 절실히 필요함 ☐
- 누군가에 대한 그리움 ☐
- 아무도 나를 원치 않는다는 감정 ☐
- 내면의 두려움 ☐
- 내면의 불안함 ☐
- 내면의 격렬한 싸움 ☐
- 너무 처지는 느낌 ☐
- 너무 '불공평하다는' 느낌 ☐

☆ 나를 아프게 한 사람들

◎ 삶에서 '나'를 가장 아프게 했던 사람들을 그림으로 그려보거나, 점토로 만들어보세요. 아니면 그들의 이름을 써도 좋아요.

◎ 만일 그 사람들이 지금 여기 있다면, 무슨 말을 하고 싶은가요? 그리고 그들이 진심으로 들어주고 받아들인다면, 무엇을 꼭 말하고 싶은가요? 글이나 말로 표현해보세요. 혹은 그들에게 하고 싶은 말을 말풍선 안에 써보세요.

◎ 한 번도 말해 본 적이 없는 것들을 그들에게 이야기하고 나니, 어떤 느낌이 드나요?

☆ 너무 무서웠던 장면들

◎ 살면서 너무 무서워 아롬이처럼 마음 주변에 '단단한 벽돌'을 쌓은 적이 있다면, 그 장면을 그림으로 그리거나 모래상자에서 표현해보세요.

◎ 그것을 영화의 한 장면이라고 생각하고, 그것을 그림으로 그리거나, 영화의 장면으로 만들어보세요.

◎ 지금 그 장면들을 보니 어떤 느낌이 드나요? 그때 할 수 없었던 것 중에서 지금 해보고 싶은 것이 있나요 (무언가를 덧붙이거나 빼내는 것을 통해서)? 만일 그렇다면, 지금 그렇게 해보세요. 그렇게 하고 나니 어떤 느낌이 드나요?

☆ 아픈 감정들로부터 도망치기

◎ 너무 슬프고 아프고 상처입고 화나고 두렵고 외로워서 그것들로부터 도망치거나 그것들을 차단하고 싶었던 적이 있나요?

◎ 그런 감정들을 잘 견뎌냈나요?

◎ 만일 그렇다면, 어떻게 그렇게 했지요?

◎ 감정을 느끼지 않으면 무엇이 좋은가요?

◎ 감정을 느끼지 않으면 무엇이 나쁜가요?

◎ 생각을 돕기 위한 말 – 아픈 감정들을 느끼지 않기 위해 사람들이 흔히 사용하는 몇 가지 방법들; 먹기, 마시기, 정돈하기, 누군가를 괴롭히기, 거짓말하기, 누군가를 다치게 하기, 텔레비전 보기, 컴퓨터게임 하기. 바쁘게 이런 저런 일들을 해치우기, 무언가를 부수거나 망가뜨리기.

☆ '들어오지 마시오'

사람들이 당신을 해치거나 슬프게 하거나 두렵게 하지 못하게 하기 위해 무언가가 되고 싶었던 적이 있나요? 다음에 제시된 것들 중에 있는지 살펴보고, 있다면 표시해보세요.

거북이, 쇠고둥, 굴, 개미핥기처럼 단단한 껍질을 가진 동물 ☐

갑옷을 입은 기사 ☐

깊은 호수로 둘러싸인, 들어올리는 다리가 있는 성이나 요새 ☐

중국의 만리장성 (달에서도 보일 만큼 거대한 성벽) ☐

잠겨진 문 ☐

얼음 장벽 ☐

바위 ☐

이것들 중에서 찾을 수 없다면, 그것을 직접 그려보세요.

☆ 거친 행동을 하는 것의 좋은 점과 좋지 않은 점

◎ 여러분에게 일어난 일 때문에 아롬이처럼 마음의 갑옷을 입어야 했다면, 그 느낌은 어떤 것이었나요?

◎ 그것의 좋은 점은 무엇이었나요?

◎ 그것의 나쁜 점은 무엇이었나요?

◎ 그렇게 강해졌을 때, 무언가 잃어버린 것이 있었나요?

◎ 만일 마음의 갑옷을 벗어버리고 보다 친절하고 차분하며 부드럽게 된다면, 여러분에게 어떤 일이 일어날지 그림을 그려보세요.

☆ 영화 속의 강한 주인공이 되어보기

만약 하루 동안 영화 속의 강한 인물이 될 수 있다면, 어떤 인물이 가장 되고 싶나요?

- 인크레더블 헐크 ☐
- 닌자 거북이 ☐
- 슈왈츠제네거 ☐
- 로보캅 ☐
- 터미네이터 II ☐
- 배트맨 ☐

◎ 여러분은 하루 동안 무엇을 할 건가요?

◎ 하루가 아니라 계속 그 인물로 산다면, 여러분은 무엇이 아쉬워질까요?

◎ 하루가 아니라 계속 그 인물로 산다고 해도, 전혀 아쉽지 않을 것은 무엇인가요?

☆ 이야기 속의 벽

신화나 동화 속에는 벽에 관한 이야기가 많습니다. 사람들이 들어오지 못하게 막는 진짜 벽도 있고, 사람들의 마음속에 세워진 감정의 벽들도 있지요. 아래에 제시된 예들 중에서 여러분 자신과 비슷하다고 생각되는 사람이 있으면, 표시해보세요.

사람들이 사는 세상에서 멀리 떨어져 높은 탑에 사는 사람 ☐
저 멀리 얼음으로 뒤덮인 곳에서 사는 눈의 여왕 ☐
눈의 여왕이 집어넣은 얼음조각을 가슴속에 담고 사는 작은 소년 ☐
높은 가시나무 울타리 뒤에서 잠들어 있는, 잠자는 숲 속의 공주 ☐
너무 무시무시하게 생겨서 지하에 갇힌 미노타우루스 ☐
처음엔 발견되기를 원치 않았지만 나중에는 발견되기를 원했던, 구멍 속에 빠진 이상한 나라의 앨리스 ☐

☆ 사랑하는 사람에게 상처받은 마음

◎ 누군가 사랑하는 사람이 마음에 상처를 준 적이 있나요?

◎ 그 상처는 얼마나 심했나요?

◎ 상처를 입기 전의 마음과, 상처를 입은 후의 마음을 그림이나 점토로 표현해보세요.

◎ 여러분은 아롬이가 했던 것처럼 마음속에 단단한 벽을 쌓아서 마음속의 상처를 해결하려고 한 적이 있나요? 그렇다면 그것을 그림으로 그려보세요. 무슨 효과가 있었나요?

☆ 마음속에 단단한 벽을 쌓을 때!

이번 주에, 마음을 보호하기 위해 아롬이처럼 단단한 벽을 쌓은 적이 있었는지 생각해보세요.

◎ 그때 그 벽이 왜 필요했을까요?

◎ 이번 주에 마음이 녹아서 좀 더 부드러워졌던 때가 있었나요?

◎ 무엇 또는 누가 그렇게 부드러워질 수 있도록 충분히 안심시켜주었나요?

☆ 좋은 힘과 나쁜 힘에 관하여

좋은 힘이란 우리 자신들이나 다른 사람들을 더 행복하고 기분 좋게 만드는 일을 할 때 느끼는 힘입니다. 그것은 배트맨이 사용하는 힘처럼, 누군가와 함께 또는 누군가를 위해 일을 하면서도 아무에게도 상처주지 않는 그런 힘입니다. 그것은 누군가와 '함께 하는 힘'입니다.

나쁜 힘이란 '지배하기 위한 힘'입니다. 여러분이 다른 사람들의 몸과 마음에 상처를 주는 어떤 일을 할 때, 자신이 강하다는 착각을 하게 됩니다.

◎ 삶에서 좋은 힘을 사용했던 적이 있나요?

◎ 삶에서 나쁜 힘을 사용했던 적이 있나요?

◎ 삶에서 사람들이 당신에게 좋은 힘을 사용하거나 나쁜 힘을 사용했던 적이 있나요?

◎ 그렇다면 가장 기억나는 순간들을 그림으로 그리거나 글로 써보세요.

☆ 높은 벽, 낮은 벽 또는 없는 벽

◎ 살면서 누군가에게 상처입지 않으려고 벽을 쌓거나 갑옷을 입어야 한 적이 있나요?

◎ 누구와 함께 있었을 때 벽을 쌓지 않아도 될 만큼 안전하다고 느꼈나요? 그림으로 그리거나 글로 써보세요.

◎ 여러분을 기분 나쁘고 불행하고 두렵게 만들었기 때문에, 또는 자신들이 먼저 마음에 벽을 쌓았기 때문에, 여러분도 마음에 높은 벽을 쌓고 튼튼한 갑옷을 입어야만 했던 사람들은 누구인가요? 그 사람들의 모습과, 갑옷을 입고 벽을 둘러친 자신의 모습을 그려보세요.

◎ 벽이나 갑옷 없이 함께 지내고 싶었던 사람이 있나요? 다시 말해, 그 앞에서 울고, 안기고, '나는 무서워요, 외로워요, 또는 슬퍼요'라고 말할 수 있는, 또 그렇게 해도 여러분을 충분히 이해한다고 느껴지는 사람이 있나요?

◎ 단단하고 강한 겉모습 뒤에 숨어있는 여러분의 진짜 모습을 본 사람은 누구인가요?

◎ 항상 단단하고 강한 여러분의 겉모습만 보고, 그것이 여러분의 모든 것이라고 생각한 사람들은 누구인가요?

◎ 단단한 벽들 뒤에 있는 여러분의 진짜 모습을 보고 싶어 했던 사람은 누구인가요?

☆ 사람들 앞에서 갑옷을 벗는다면

여러분이 잠시 동안 강한 사람의 갑옷을 벗는다면, 그리고 사람들에게 여러분도 때로는 동요하고, 두렵고, 슬프고, 외롭다고 말한다면, 어떤 일이 일어날 것 같은가요?

이런 감정들을 말할 때 일어날 것이라고 생각되는 것에 표시하세요.

사람들은 나에게 상처를 줄 것이다 ☐
사람들은 나를 비웃을 것이다 ☐
사람들은 나를 약한 존재로 볼 것이다 ☐
나는 거리에서 고개를 들고 다니지 못할 것이다 ☐
사람들은 나를 못살게 굴 것이다 ☐
아무도 나를 좋아하지 않을 것이다 ☐
나를 여자애 같다고 놀릴 것이다 ☐
무엇인지는 모르지만, 아주 나쁜 일이 일어날 것이다 ☐

이 중에서 찾을 수 없다면, 여러분이 생각하는 것을 그려보세요

☆ 튼튼한 요새 속의 나

◎ 튼튼한 요새를 그림이나 찰흙으로 표현해 보세요.

◎ 삶에서 중요했던 사람들을 나타내는 사람모형이나 동물모형들을 골라 보세요. 누구를 요새 안으로 들여보내고 또 누구를 들여보내지 않을 것인지 보여주고 그 이유를 말해 주세요. 모형들을 요새의 안쪽이나 바깥쪽에 놓아 보세요. 그리고 그것들을 왜 거기다가 놓았는지 말해 주세요.

☆ '마침내 발견한 아주 안전한' 장소

◎ 힘들고 두렵고 아프게 하는 사람이 없는, 그래서 다시는 상처입지 않을 수 있는 정말로 안전한 장소를 그려보세요.

◎ 그곳에 정말로 좋아하거나 안전하게 느끼는 누군가가 있나요?
그렇다면 그 사람들을 그려보세요. 아니면 그곳에 혼자 있나요?

◎ 그곳에서 무엇을 할 건가요?

☆ '벽 대신 다리를'

살면서 어느 누구보다 믿을 수 있었기 때문에 벽보다는 다리를 놓고 싶었던 사람이 있었나요?

◎ 그런 사람이 있다면, 다리로 이어져 있는 여러분과 그 사람을 그려보세요.
그런 다음 생각나는 것이나 하고 싶은 말을 말풍선 안에 써보세요.

◎ 벽이 아니라 서로를 연결해주는 다리가 있다는 것은 어떤 느낌을 주나요?

☆ 끔찍한 일이 일어났을 때 (외상으로 고통당하는 아동들의 경우)

끔찍한 일이 일어났나요? 아니면 어떤 끔찍한 것을 보았나요?

무서운 일이 일어나기 전의 나의 모습을 그려보세요.

무서운 일이 일어나고 있을 때의 나의 모습을 그려보세요.

무서운 일이 일어난 후의 나의 모습을 그려 보세요.

그 일이 일어나는 것을 막지 못했기 때문에 괴롭다는 느낌이 드나요?

아동에게 그 무서운 일이 무엇인지 말하라고 강요하지 않도록 하라. 아동이 그 일이 벌어지는 것을 막지 못한 것 때문에 괴롭다고 말하면, 다음과 같이 말해주는 것이 적절할 것이다. '그걸 막지 못했다고 네가 나쁜 게 아니란다. 너는 너무 어려서 그걸 막을 수가 없었던 거야', '아이들은 그런 생각을 할 수도 없고 또 어떻게 해야 하는지도 모르는 거란다. 그러니까 그 책임은 아이가 아니라 어른에게 있는 거지. 어른들도 네 나이였을 때는 그렇게 할 수 없었을 거야.'

☆ 아름다운 빛깔의 세상

아롬이가 비참하고 외로웠을 때 그의 세상은 온통 빛깔을 잃어버렸지요.

◎ 세상의 빛깔이 가장 아름답다고 느꼈던 때는 언제인가요?

◎ 언제 그 빛깔을 잃어버렸나요? 원한다면 빛깔 없던 때의 모습을 그려보세요.

이 시점에서 마음이 굳어진 아동들과 표현 매체를 이용하여 작업하는 것이 가져다주는 이점에 대해 살펴보는 것이 좋겠다. 모래놀이, 그림그리기, 찰흙놀이와 음악은 강렬한 증오와 분노 그리고 아픈 감정들을 표현하는 데 필요한 탁월한 매체이다. 치료 상황에서 사용되는 이러한 매체들은, 아동이 감정을 자신의 탓으로 돌리거나 파괴적인 방식으로 다른 사람들에게 전가하지 않고, 다른 대안적인 방식들을 발견할 수 있게 한다. 대신 그들은 이러한 창의력과 상상력을 통해서 그러한 감정들을 표현하고 소유하고 말할 수 있게 된다.

분노하고 공격적이거나 남을 괴롭히는 아동에게 어떤 말을 해 줄 것인가?

비판하기보다는 이해해주는 신뢰할 만한 사람과 일대일로 마주하고 있는 상황이라면, 대개 남을 괴롭히는 아이들의 얼어붙은 마음은 녹기 시작한다. 그때 그들은 자신들이 누군가에게 어떤 짓을 했고 왜 그랬는지에 대해서 느끼고 생각할 수 있다. 많은 아동들은 공감적인 반응을 통해서 이 책에 쓰인 내용들, 즉 아이들이 왜 남을 괴롭히는 아이가 되는지 이해하고 생각할 수 있다. 어떤 아동들은 이런 사실들을 알게 될 때 말할 수 없는 위안을 느낀다. 하지만 더러 자신은 단지 괴물일 뿐이라고 말하는 아동들도 있다.

와이닝거는 **아동의 환상**(1989)이라는 책에서, 무자비하게 다른 아이들을 공격하고 다닌 한 소년의 이야기를 소개한다. 그 소년의 공격적인 행동은, 그가 자신의 고통을 다른 사람들에게 느끼게 함으로써 자신의 고통을 없애려고 한다는 것을 이해해주는 사람을 만났을 때 진정되기 시작했다. '나는 네가 너의 상처를 없애기 위해서 다른 사람에게 상처를 주고 있다고 생각해. 마치 네가 다른 아이들에게 해를 입히면, 너 자신은 해를 입지 않는 것처럼 말이야.'(와이닝거, 1987, p167)

외상을 입은 후, 남을 괴롭히는 아이에게 다음과 같이 말해줄 수 있을 것이다.

> 때로 마음의 상처는 네게 일어났던 일을 되풀이하고, 행동으로 옮기게 만들 수 있단다. 예를 들어 네가 괴롭힘을 당했다면, 누군가를 괴롭혀서 네가 느꼈던 감정을 그가 느끼도록 만든다는 거지. 이것은 자신에게 일어났던 일을 해결하려는 마음의 작용이기도 해. 그러나 행동으로 드러내는 것은 너를 곤경에 빠뜨리고 너 자신뿐 아니라 다른 사람의 삶도 망칠 수 있어. 그러므로 이것을 방지하는 한 가지 방법은 일어났던 일들을 이야기하거나, 그림으로 그리거나 모래놀이로 보여주는 거란다. 일단 이런 방법들을 통해 표현하고 나면, 그것들은 유령처럼 사라지고 말지. 이처럼 네게 일어났던 일들을 생각해보고 느끼지 않는다면, 너의 지난날은 네 자신을 사로잡고 삶을 망쳐버리는 유령과 같은 것이 될 수도 있어.

일부 거칠고 억센 아동들은 어떤 벌을 받을지, 또는 다른 사람에게 어떤 반응을 불러일으킬지 알지 못한다. 12살 난 톰은 장난감 군인에 사로잡혀 있었다. 어릴 때 부터 그는 어머니가 아버지에게 맞는 것을 계속 보아왔다. 다시 말해 그는 전쟁터에서 살아온 셈이다. 그는 종종 사람들이 그에게 무슨 말만 하면 몹시 공격을 했다. 그는 사람들이 왜 자신을 좋아하지 않는지 이해하지 못했다. 어느 날 치료자는 그에게 어떤 일이 일어났다고 생각하는지를 설명해 주었다. 아동들은 말을 통해서만 표현하면 집중하기가 힘들 수 있기 때문에, 그의 치료자는 작은 인형들을 가지고 실연해 보이면서 말하였다. 아동들에게 이것은 작은 연극을 보는 것과 같다.

다음은 작은 인형들을 사용해서 치료자가 이야기하고 실연했던 내용이다.

> 네가 마음의 상처를 입고 슬퍼지거나 두려워지면 너는 군인이나 요새의 강한 성벽들처럼 되곤 하지. 사람들은 너의 그런 모습 때문에 화가 나거나 두려움을 느끼게 된단다. 사람들은 굳건한 요새의 성벽 뒤에 있는 **너를** 볼 수 없단다. 그러니까 그들이 화를 내거나 두려워하는 것은 **너** 자신이 아니라 너의 성벽이지. 그런데 사람들이 너를 공격하면 너는 '음, 정말 내 벽들과 거친 말들이 필요하군!' 하고 생각하게 되지. 그러나 정말 싸우고 있는 것은 너 자신과 그들이 아니야. **너의** 군대와 성벽이 **그들의** 군대와 성벽과 싸우는 거지. 그래서 너와 그들 사이에는 즐거운 놀이와 재미있는 일들이 일어나지 않는 거야.

치료자는 톰에게 함께 낚시를 즐기는 두 소년, 생일 파티 상에 둘러앉은 아이들, 다 같이 보트를 띄울 연못을 만드는 사람들의 이야기들을 모래상자에서 재미있게 보여주었다. 톰 역시 그 의미를 깨닫고, 치료자와 함께 '남을 지배하는 힘'이 아니라, '함께 하는 힘'을 즐기는 멋진 시간을 가질 수 있었다.

톰은 자기 스스로가 사람들에게 적대적인 반응을 불러일으켰다는 것을 이해하기 시작했다. 치료가 계속되면서 그는 차츰 용기를 내어 성벽의 벽돌을 하나씩 내려놓기 시작했다. 그때 그는 어둠을 뚫고 들어오는 한 줄기 밝은 빛을 발견했다. 그 빛은 사람들이 그에게 친절하고 따뜻하며 놀이적인 반응을 보여준 것이었다. 이전에 그들은 그의 방어적인 공격으로부터 자신을 보호하기 위해서 그에게 적대적이고 방어적으로 공격하곤 했다.

마지막으로, 치료자는 아동에게 그토록 강한 방어가 필요했었다는 것을 언어로 표현해 주는 것이 중요하다. 그에게 어떤 일이 벌어졌고, 그로 인해 사람들을 믿지 못하게 되었으며, 그래서 그에게는 사람들을 멀리할 필요가 있었음을 충분히 이해할 수 있다고 말해주어야 한다. 고도로 방어적인 보호벽 안에 살고 있는 아동에게 다가가 의미 있는 관계를 형성하는 것은 매우 어려운 일이다. 치료자의 친절과 관심은 번번이 바닥에 떨어지고 결코 아동에게 도달하지 못할 수도 있다. 치료자는 그들을 설득하려고 애쓰기보다는 기다려주고 공간을 주고 그의 방어들을 존중해줄 수 있을 뿐이다. 적절한 단계에 이르렀을 때, 치료자는 사람들에게 친절하고 따뜻하게 대하면 그들도 대부분 친절하고 따뜻하게 반응할 것이라고 설명해줄 수 있을 것이다 (꼬마 깡패가 되기 전의 아롬이처럼). 그러나 만일 지나치게 상처를 입거나 부당한 대우를 받는다면, 그들은 아롬이처럼 단단한 벽돌을 마음속에 쌓을 것이고, 그 결과 거칠고 잔인해질 수 있을 것이다.

감정을 느끼지 않는 사람은 용감한 사람이고, 우는 사람은 겁쟁이라고 믿는 아동들을 어떻게 도와줄 것인가?

> 감정에 자신을 내맡기는 것은 약함이 아니다 … 그것은 강력한 무저항이다. (윌리암슨, 1992, p49)

감정을 허용하는 것은 그것을 방어하는 것보다 훨씬 용기 있는 행동이라는 것을 아동들이 이해하기란 쉬운 일이 아니다. 그들은 이 점에서 도움을 필요로 한다. 치료사는 다음과 같은 이야기를 해줄 수 있을 것이다.

> 누구나 크고 강할 수 있단다, 왜냐하면 크고 강하기는 쉽기 때문이야. 누구나 벽을 세우고, 단단한 것들을 마음에 두르고 감정을 느끼지 않겠다고 결심할 수 있지. 용기 있는 것은 감히 그것을 느끼는 것이란다. 어떤 강렬한 감정들은 매우 힘들기 때문에, 진정한 힘과 감히 그러한 감정들을 느끼려는 용기가 필요해. 그것은 매우 험한 바다에서 감히 작은 보트를 끌어내는 것과 같아. 많은 아동들은 그냥 바닷가에 머물고 말지.

또한 아동들에게는 혼자서 작은 보트를 타고 멀리 험한 바다까지 나가지 않는 것이 중요하다고 말해주어야 한다. 강렬한 감정은 반드시 그것을 이해해줄 수 있는 사람과 함께 있는 동안 느껴질 필요가 있다. (여기서 험한 바다는 매우 강렬한 감정을 느낄 때 발생하는 정서적 고통의 격렬함을 가리킨다.)

남을 괴롭히거나 마음이 굳어진 아동들에게, 그들이 부드러운 감정을 보인다는 것은 약하기 때문이 아니라 오히려 강하기 때문이라고 설명해주면 종종 크게 도움이 된다. 13살 난 한 소년은 통찰을 얻는 감동적인 순간에, '내 자신이 부드러울 수 있을 만큼 강한지 잘 모르겠어요'라고 말했다. 전쟁터에서 울지 못하는 사람이 가장 약한 사람이라는 것을 말해줄 수 있을 것이다. 같은 맥락에서, 프랭클은 제2차 세계대전에 관해 이야기하면서, '눈물은 인간이 가장 큰 용기, 즉 고통을 당할 용기를 가졌다는 증거이다. 단지 소수만이 그것을 깨닫는다'(1985, p100)라고 말했다.

이와 유사하게, 심리학자인 니나 허만은 사랑하는 사람들을 상실한 슬픔으로부터 여러 해 동안 자신을 방어한 뒤, 그들을 진정으로 애도할 수 있는 힘에 대해 말한다. '내가 애도할 수 있는 힘이 없었기 때문에, 그들을 개별적으로 애도할 수 있을 때까지 그들은 어두운 공동묘지를 공유해야만 했다. 그리고 이제 애도가 시작되었다.'(1988, p142)

뿐만 아니라 '슬프거나 아픈 감정을 보이면 조롱하거나 화를 내는 사람들과 함께 있을 때는, 마음을 보호하고 감싸는 데 필요한' 적절한 방어들도 있다는 것을 말해줄 필요가 있다.

상처로부터 자신을 보호하기 위해 보다 온건한 방법을 찾는 아동을 (아름이가 한 것처럼) 어떻게 도와줄 것인가?

아름이 이야기를 읽고 난 후, 당신은 아마도 굳어진 아동의 마음이 따뜻함과 빛을 차단하고, 한 인간으로 성장하는 과정을 방해한다는 사실을 아동에게 일깨워줄 수 있는 방법을 찾았을 것이다.

매우 방어적인 아동들에게는 보다 덜 극단적인 형태의 방어들을 발견하도록 도와줄 필요가 있다. 그들은 대체로 주장하고 타협하는 기술들을 배울 필요가 있다. 또한 많은 아동들은 '상처'라는 단어를 사용하는 것이 유익하다는 것을 발견한다. 예를 들면, 아동이 '당신이 말하거나 행한 것 때문에 내가 상처 받았어요'(다른 아동들이 아니라 상처를 준 바로 그 사람에게)라고 말할 수 있다면, 그는 상처받았을 때 분노하는 대신 다른 방식으로 반응할 수 있게 될 것이다.

아동이 보다 풍부한 감정의 어휘를 사용할 수 있게 된다면, 이는 흔히 부모의 완강한 태도를 누그러뜨릴 수 있다. 예를 들면, 치료자의 도움으로 찰리(7세)는 어머니의 지갑에서 계속 돈을 훔치는 대신, '엄마가 아기를 무릎에 안고 있을 때, 나는 마음이 아프고 버려진 것처럼 느껴져요. 그게 내가 화나는 이유에요'라고 말할 수 있었다. 그의 어머니는 그런 찰리의 마음을 전혀 모르고 있었다. 이렇듯 찰리가 용감하게 자신의 감정을 읽고 표현할 수 있게 되자, 그들은 깨어진 관계를 회복하기 시작했다.

마음이 굳어진 아동에게는 '지배하는 힘'이 아니라 '함께 하는 힘'의 상호작용이 가져다 주는, 재미있고 즐거운 경험을 가능한 한 많이 제공해주는 것이 중요하다. 지배-복종적인 관계방식만을 알고 있는 굳은 마음을 가진 아동이나 남을 괴롭히는 아이에게, '이것 봐! 넌 지금 따뜻하고 재미있고 정이 넘치는 관계의 즐거움을 놓치고 있어'라고 말하는 것은 별 의미가 없다. 그러한 아동들은 당신이 하는 말 자체에 대한 개념이 별로 없다(또는 매우 희박하다). 인간관계의 즐거운 경험과 다양한 가능성으로 그들을 초대하는 유일한 길은 그들에게 정겨운 상호작용을 경험하게 하는 것이다. 이는 즐겁고, 따뜻하고, 부드럽고 창의적으로 어떤 일을 함께 하는 것을 의미한다. '우리 함께'에 기반을 둔, 익살스럽고 재미있고 해롭지 않은 신체적인 놀이가 바로 그러한 활동일 것이다.

그러나 힘을 중심으로 하는 관계방식에 따라서 양육된 방어적인 아동들은 이러한 새로운 관계방식이 불편하거나 위협적인 것으로 느껴질 수 있다. 이것들은 그들 자신과 다른 사람 그리고 세상에 대해서 그들이 가지고 있는 신념 체계에 대한 공격으로 경험될 수 있다. 어떤 아동들은 거친 세상에 너무나 익숙해진 나머지, 친절함 자체를 불편하게 느낀다. 그것은 그들에게 너무나 낯선 것이기 때문이다. 선생님이 아주 친절하게 대했을 때 한 소년은, '나는 선생님이 내게 소리칠 때가 더 좋아요'라고 말했다. 그가 실제로 말하고 있는 것은, '선생님의 친절은 내가 알고 있는 거칠고 적대적인 세상과 너무나 달라서 혼란스러워요. 그것은 내가 나 자신과 다른 사람들에 대해서 알고 있는 것들을 모두 공중에 날려버릴 것 같아요. 적어도 그것은 내가 알고 있는 세상이 아니거든요' 이다.

마음이 굳어져 남을 괴롭히는 아동들을 위한 상담과 치료

> 우리는 다른 사람이 있을 때에만 진정으로 애도할 수 있다. (보울비, 1973)

1999년도 한 해 동안 영국에서 발생한 길거리 범죄의 40%는 10세에서 14세에 이르는 소년들에 의해서 저질러졌다. 영국 정부는 4세에서 6세에 이르는 아동들이 읽기와 쓰기 그리고 수리 능력을 향상시킬 수 있도록 학교에다 더욱 많은 예산을 배정함으로써 이에 대응하였다. 그런가 하면 어떤 정치인들은 청년층의 폭력과 범죄를 줄이기 위해서는 도덕교육을 더욱 강화해야 한다고 말하고 있다.

청소년 범죄에 대한 이러한 반응은 신경생리학과 아동심리학의 최근 연구－외상이론, 학대와 방임이 뇌에 미치는 정신생화학적인 영향, 그리고 어떻게 마음이 처리되지 않은 외상을 되풀이하게 되는지에 관한－에 대한 전적인 무지로부터 나온 것이다. 그들은 힘없고 약하거나 무력감을 느끼는 아동들이 자신의 감정을 소통하기 위해서, 또는 다른 사람에게 전가하여 그것으로부터 벗어나기 위해서, 약하고 무력한 사람들을 공격한다는 사실을 전혀 모르고 있다. 그들은 아동들이 정서적으로 심한 상처를 입으면 마음을 굳게 함으로써 자신이나 다른 사람의 정서적인 고통을 전혀 느끼지 못하게 된다는 사실을 고려하지 않고 있다.

읽고 쓰고 셈하는 교육과 도덕 교육을 아무리 강화한다 하더라도, 아동들이 아롬이처럼 남을 괴롭히는 아동들이 되는 것을 막을 수는 없다. 시간을 두고서 그들의 얼어붙은 마음이 녹기 시작할 때까지 끊임없이 그들의 고통과 상처에 귀를 기울여주는 사람만이 그 일을 해낼 수 있다. 대부분의 교사들은 남을 괴롭히는 아이들의 겉모습 밑에 숨겨진 고통과 상처를 치유하는 데 필요한 충분한 시간을 내기 어렵다. 하지만 상담자나 치료자는 7살 된 작은 망나니(학교로부터 쫓겨날 위기에 처한)의 괴물 같은 촉수를 헤치고 그 아래에 숨겨져 있는 심각한 상처를 치유해낼 수 있는 시간을 가지고 있다.

상황은 심각하다. 마음이 굳어진 아동들이 일대일 치료를 받지 못한다면, 그들은 계속해서 사회를 어둡게 만들 것이다. 대부분의 사회구성원들이 이러한 사실을 깨달을 때까지, 우리는 얼마나 많은 상처 입은 아동들이 다른 아동들을 괴롭히고 학대하고 심지어는 살해까지 하는 모습을 보고 있어야만 하는가? 상담이나 치료를 받지 못한다면, 힘을 중심으로 하는 지배－복종의 가족문화에서 자란 아동들은 일생동안 지배－복종의 관계를 되풀이하면서 자신과 남을 고통스럽게 하는 행동들을 계속할 것이다. 어떤 아동들은 너무 심한 사랑의 상처 때문에 다시는 깊고 견고한 사랑을 할 수 없다고 믿는데, 이들은 상담이나 치료가 꼭 필요한 아동들이다.

더욱이 문제는 상담이나 치료를 받지 않으면, 마음이 굳은 많은 아동들은 자신이 지금 두려워하고, 상처입고 슬퍼하고 있다는 사실을 부인하기 때문에 아무도 이러한 사실을 알지 못한 채 그들이 방치된다는 데에 있다. 많은 사람들은 친절함이나 따뜻함이 아롬이 같이 얼어붙은 아동들의 마음을 녹이는 데 충분하다고 생각한다. 그러나 아동의 뼈아픈 과거가 작업을 통해서 극복되지 못하고 남아있으면, 친절함과 따뜻함만으로는 충분치가 않다. 그들은 모든 종류의 친절함과 따뜻함 속에서도 여전히 놀이터의 작은 아이들을 괴롭힐 것이다(그는 여전히 외상의 측면을 재연하고 있다). 치료에서 아동은 친절하고 따뜻한 환경아래, 그의 내면세계의 갈등과 고통을 해결하고 상처가 치유될 때까지 작업하고, 느끼고, 생각하고, 극복하도록 도움을 받게 된다. 그래야만 아동을 괴롭히던 유령들은 사라지고, 그들은 더 이상 다른 사람들의 희생을 요구하는 과거의 외상적인 사건을 무의식적으로 반복하지 않게 된다. 성공적인 치료에서 아동은 더욱 풍요로운 관계 모델을 발달시키게 된다. 그는 친절, 공감, 협동과 온정에 기초한 다른 관계 모델들을 발달시킬 것이다.

유아원이나 초등학교에서 이루어지는 아동치료의 경우, 한 가지 다행스러운 점은 이 어린 '불량배들'의 마음이 아직도 대부분은 열려 있다는 사실이다. 따라서 집중적인 치료나 상담이 이루어진다면, 상처입고 겁에 질린 아동들에게 다가가는 것은 그리 오래 걸리지 않는다. 일대일 치료는 학급의 공포 대상인 아동을 자신이 숨어있는 곳으로부터 나올 수 있게 할 것이다. 치료가 집중적으로 공감의 시간을 제공할 때, 아동들은 곧 놀이에서 부드러움과 친절함을 새롭게 내보이기 시작할 것이다. 그러나 좀 더 나이든 아동이라면, 예를 들어 15년간 굳어진 방어를 가진 아동이라면, 그에게 다가가는 일은 더 어려울 수 있다. 그의 지배-복종의 관계방식은 상당히 굳어진 것일 수 있다. 취약하고, 상처입고 겁에 질린 아동의 마음을 다시 개방시키는 일은 매우 어렵고, 어쩌면 불가능할 수도 있다. 또한 좀 더 나이든 아동은 자신의 얼어붙은 마음이 녹을 수 있다고 느낄 때 치료를 중단할 수 있으며, 치료를 또 다른 '지배하는 힘'으로 여겨 피할 수도 있다. 어떤 방어적인 청소년은 단호하게 치료를 거부하면서, '아무도 나를 통제하지 못하게 할 거에요. 여기 앉아서 나와 엄마에 대해서 모든 걸 말하라고요? 천만에요'라고 말했다.

치료는 남을 괴롭히거나 마음이 굳어진 아동들에게 자신의 내면의 상처를 느낄 수 있게 도와주고, 그 고통을 견딜 수 있게 해줌으로써, 더 이상 그것을 방어할 필요가 없게 해준다. 일정 기간 동안 좋은 치료자나 상담자가 심리적인 안아주기를 제공함으로써 생긴 안전감이 없다면, 굳어진 마음 근저에 자리 잡고 있는 고통은 너무나도 심하고 뿌리 깊은 것이어서 아동 혼자서는 이를 해결해 나갈 수가 없다. 이때 마음의 방어기제들은 이러한 고통을 확실하게 방어해줄 것이다.

어떤 아동들에게는 치료가 '강대하고 억센' 것으로부터 자신을 보호하기 위해 좀 더 온건한 방법을 사용하는 능력을 획득하게 해주는 유일한 수단일 수도 있다. 다시 말해, 그들은 치료를 통해서 '안 돼!'라고 말할 수 있고 욕구를 분명하게 표현하며, 협상하고 토론하고 피드백을 줌으로써 사랑에 열려있고 감동을 느끼면서 적절하고 부드럽게 연약한 상태에 머물러 있을 수 있는 능력을 획득할 수 있다.

상담이나 치료를 받는 많은 아동들은 아주 오랫동안 혼자 짊어졌던 비탄, 상처, 분노, 공포 등을 스스로 내려놓게 되면서 더할 수 없는 안도감을 느끼게 된다. 오직 이런 후에야 비로소 그들은 대부분 보다 부드럽고 따뜻하고 친절한 감정들의 세계로 들어갈 수 있다. 치료과정에서 얼어붙은 마음이 녹아내린 한 어린 소년은, '이상해요, 내 안의 모든 싸움이 멈춘 것 같아요'라고 말했다.

상담이나 치료공간은 보다 부드럽고 덜 방어적으로 사는 방법을 배울 수 있는 훌륭한 연습장소이다. 그러므로 아동이 치료실에서 경험하고 연습한 것을 외부 세계에서 행동할 수 있게 되기까지는, 치료자가 '그 애는 정말 유쾌한 아이에요'라고 말하는 반면, 교사는 '그 애는 정말 악몽이에요'라고 말하는 상황이 흔히 벌어진다.

굳어진 어린이의 마음이 녹기 시작하면 어떤 일이 일어나는가

상담을 통해서 마음이 부드러워진 8세 된 스텔라
놀이에서 스텔라는 여러 주 동안 성난 호랑이가 잡아먹고, 해치고, 죽이는 이야기를 실연했다. 그런데 어느 날 놀랍게도, 호랑이는 가난한 아이들을 위한 가게를 열었다. 호랑이는 그들에게 포근한 침대와 상냥한 놀이친구들을 주었다. 상담자가 '이번 주에는 왜 호랑이가 달라졌지?' 하고 묻자, 스텔라는 '호랑이의 마음에 뭔가 변화가 일어났기 때문이에요'라고 말했다. 정말 그랬다. 스텔라에 대한 상담자와 교사의 부드러운 관심이 결실을 맺기 시작했고, 그 결과 호랑이는 관심의 능력을 갖게 되었다.

이러한 상황에서는 지금까지 얼어붙어 있던 충족되지 못한 유아적 욕구들이 엄청나게 풀려나기도 한다. 이럴 경우, 즉 아동이 '감정을 숨기는 찬이(선더랜드 & 암스트롱, 2000)'에서처럼 극심한 슬픔을 방어하고 있다면, 감정의 봇물이 터질 수도 있다.

> 자신의 마음을 돌로 바꾸는 것은 … 마음을 얼음으로 만드는 것만큼이나 보편적인 방어기제이다. 나는 스스로가 마치 벽돌이나 얼음처럼 느껴진다고 말하는 두 명의 환자를 치료한 적이 있다. 이러한 사람들의 치료에서 겪는 어려운 점이 있다면, 이들의 감정이 녹을 때 쉽게 물바다가 될 수 있다는 것이다. (싱어, 1977, p474)

이러한 아동은 상당한 정도의 따뜻함과 공감을 필요로 한다. 그에게는 신체적으로나 심리적으로 안겨있다는 느낌이 필요하다.

아동치료나 상담에서 문제 아동이 군인놀이를 멈추고 아기 인형과 젖병 같은 것에 관심을 보이기 시작하는 놀라운 순간이 있다. 대개 해빙의 조짐은 놀이에서 일어난다. 그림이나 모래놀이에서 훨씬 덜 심각한 방어기제가 출현하는 것은 이러한 조짐에 대한 작은 신호이다. 예를 들면, 폭격과 전쟁의 와중에 작고 폭신한 공과 같이 부드러운 물체가 출현하는 것을 볼 수 있다. 이것은 그동안 숨어있던 작고 취약한 아이가 이제는 출현하여 제 목소리를 낼 준비가 되었음을 나타낸다. 하지만 그가 이처럼 자신을 시험적으로 드러내는 중요한 순간에, 그것에 대해서 이야기하라고 강요해서는 안 된다. 그러면 그는 다시 방어 뒤로 도망치고 말 것이다. 이렇게 새롭고 덜 방어적인 자기의 출현을 보여주는 사례로서 그림 6을 들 수 있다. 이 모래놀이 그림은 여러 해 동안 남을 괴롭혀온 한 아동이 만든 것이다. 매주 계속되던 전쟁놀이 후에 그는 또 다른 전쟁 그림을 그렸는데, 그 그림 한가운데에는 쇼핑 카트를 타고 있는 아기가 있었다!

대개 남을 괴롭히거나 마음이 굳어진 아동은 치료 초기에 상담자나 치료자가 지배-복종의 주제를 담은 이야기를 재연하기를 원하는 경향이 있다. 그들은 자주 '선생님은 더러운 생쥐이고 난 생쥐를 밟는 사람이에요'라고 말한다. 그러나 아동의 마음이 녹기 시작하면, 상호작용은 협조적이며 '함께하는 힘'의 작용으로 변화된다. '우리 함께' 그리고 '선생님과 내가 함께'라는 표현이 많아지면, 치료적인 관계에도 새롭고 평안한 기운이 감돌게 된다. 한 치료자는 남을 괴롭히던 8세 된 아동에 대한 보고에서, '이제 우리는 주로 부드러운 속삭임과 콧노래를 주고받으면서 시간을 보낸다'라고 기록했다.

그림 6 많은 아이들을 괴롭혔던 아동의 모래놀이

> 사람들은 있는 그대로 수용된다. 완전해지기 위해 별도로 더 해야 할 것은 없다. 그냥 덧문과 가리개를 열고 햇빛을 들어오게만 하면 된다. (로완, 1986, p11)

추천도서 한국심리치료 연구소

- **참자기**(제임스 F. 매스터슨, 2000)
- **그림놀이를 통한 어린이 심리치료**(도널드 위니캇, 1998)
- **놀이와 현실**(도널드 위니캇, 1997)
- **유아의 심리적 탄생**(마가렛 말러, 프렛 파인, 애니 버그만, 1997)
- **박탈과 비행**(도널드 위니캇, 2001)
- **성숙과정과 촉진적 환경**(도널드 위니캇, 2000)
- **울타리와 공간**(마델레인 데이비스, 데이빗 월브릿지, 2002)
- **살아있는 동반자**(앤 알바레즈, 2006)
- **교육, 허무주의, 생존**(데이빗 홀브룩, 2001)
- **신데렐라와 그 자매들**(앤 · 베리 울라노프, 1999)

참고문헌

Ainsworth MDS, Blehar MC, Waters E & Wall S, 1978, Patterns of Attachment: A Psychological Study of the Strange Situation, Lawrence Erlbaum Associates, Hillsdale, NJ.

Armstrong - Perlman E, 1995, Personal communication.

Auster P, 1988, The Invention of Solitude, Faber & Faber, London.

Bachelard G, 1969, The Poetics of Space: The Classic Look at How We Experience Intimate Places, Beacon Press, Boston. (Originally published in French, 1958)

Berne E, 1964, Games People Play, Grove Press, New York.

Blume ES, 1990, Secret Survivors: Uncovering Incest and its After Effects in Women, John Wiley, Chichester/New York.

Bowlby J, 1973, Attachment and Loss: Volume 2 - Separation, Anxiety and Anger, Hogarth Press, London.

Bowlby J, 1978, Attachment and Loss: Volume 3 - Loss, Sadness and Depression, Penguin, Harmondsworth.

Bowlby J, 1988, A Secure Base: Clinical Applications of Attachment Theory, Routledge, London.

Casement P, 1990, Further Learning From the Patient: The Analytic Space and Process, Tavistock/ Routledge, London.

환자에게서 배우기, 한국심리치료연구소, 2003

Chopra D, 1990, Quantum Healing, Bantam, New York.

Fairbairn WRD, 1940, 'Schizoid Factors in the Personality', pp3 - 27 in Psychoanalytic Studies of the Personality (1952), Tacistock/Routledge, London.

성격에 관한 정신분석적 연구, 한국심리치료연구소, 2003

Frankl V, 1985, Man's Search for Meaning, Washington Square Press, New York. (Originally published in 1946)

Fromm E, 1973, Anatomy of Human Destructiveness, Cape, London.

Gallagher T, 1996, Talking about her writer husband Raymond Carver on BBC Radio 4, August.

Goodall J, 1988, In the Shadow of Man, 2nd edn, Weidenfeld & Nicolson, London.

Guntrip H, 1952, 'The Schizoid Personality and the External World', in Harry Guntrip: Schizoid Phenomena, Object Relations and the Self, 1992, H Karnac (Books) Ltd, London.

Harlow HF & Mears C, 1979, Primate Perspectives, John Wiley, New York/London.

Herman N, 1988, My Kleinian Home: A Journey Through Four Psychotherapies, Free Association Books, London.

Home Office, 1994, Chapter 4 in Criminal Statistics England and Wales 1994, HMSO, London.

Jeffers S, 1987, Feel the Fear and Do it Anyway, Arrow London.

Jenner S, 1999, The Parent/Child Game, Bloomsbury, London.

Kafka F, 1981, Stories 1904 - 1924 (Underwood JA, trans), Futura, London.

Keenan B, 1992, An Evil Cradling, Vintage, London.

Kohut H, 1977, The Restoration of the Self, International Universities Press, New York.
자기의 회복, 한국심리치료연구소, 2006

Levi P, 1984, 'Give Us' in Primo Levi Collected Poems, 1988, Faber & Faber, London.

Maslow AH, 1971, The Farther Reaches of Human Nature, Viking Penguin, New York.

Miller A, 1987, For Your Own Good: The Roots of Violence in Child - Rearing, (Hannum H & H, trans), Virago, London.

Milner M, 1987, The Suppressed Madness of Sane Men, Tavistock, London.

Mitchell S, 1988, Relational Concepts in Psychoanalysis: An Integration, Fifth Printing, New York.

Pert CB, 1997, Molecules of Emotion, Simon & Schuster, London.

Polster E, 1987, Every Person's Life is Worth a Navel, New York, WW Norton, New York.

Polster E & Polster M, 1973, Gestalt Therapy Integrated, Brunner/Mazel, New York.

Randolph E, 1994, Children Who Shock and Surprise: A Guide to Attachment Disorders, RER Publications, Cotati, Ca.

Robertson J & Robertson J, 1969, 'John - 17 Months: Nine Days in a Residential Nursery', 16mm film' Series; British Medical Association/Concord Film Council.

Rowan J, 1986, Ordinary Ecstasy: Humanistic Psychology in Action, Routledge & Kegan Paul, London.

Schoenewolf G, 1991, The Art of Hating, Jason Aronson, Northvale, NJ.

Siegel DJ, 1999, The Developing Mind, The Guildford Press, New York.

Singer M, 1977, 'The Experience of Emptiness in Narcissistic and Borderline State: Ⅱ. The Struggle for a Sense of Self and the Potential for Suicide', International Review of Psycho - Analysis 4: 471 - 477.

Stern DN, 1993, 'Acting versus Remembering in Transference Love and Infantile Love', in Spector Person E, Hagelin A & Fonagy P, eds, On Freud's 'Observations on Transference - Love', Yale University Press, New Haven/London.

Stoppard T, 1967, Rosencrantz and Guildenstern are Dead, Faber & Faber, London.

Sunderland M, 1993, Draw On Your Emotions, Speechmark Publishing, Bicester.

Sunderland M, 2000, Using Story Telling as a Therapeutic Tool with Children, Speechmark Publishing, Bicester.

Sunderland M & Armstrong N, 2000, A Nifflenoo Called Nevermind, Speechmark Publishing, Bicester.

Thrail E, 1994, Retrospect: The Story of an Analysis, Quartet, London.

Troy M & Sroufe LA, 1987, 'Victimisation Among Preschoolers: Role of Attachment Relationship History', Journal of American Academy of Child and Adolescent Psychiatry 26: 166 - 172.

Van Der Kolk BA, 1989, 'The Compulsion to Repeat the Trauma: Reenactment, Revictimisation and

Masochism', Psychiatric Clinics of North America, 12: 389 - 411.

Weininger O, 1989, Children's Phantasies: The Shaping of Relationships, H Karnac (Books) Ltd, London.

Weininger O, 1993, View from the Cradle: Children's Emotions in Everyday Life, H Karnac (Books) Ltd, London.

Williams G, 1997, Internal Landscapes and Foreign Bodies, Tavistok, London.

Williamson M, 1992, A Return to Love, Random House, New York.

Winnicott DW, 1971, Playing and Reality, Penguin, Harmondsworth, New York.
놀이와 현실, 한국심리치료연구소, 1997

De Zulueta F, 1993, From Pain to Violence: The Traumatic Roots of Destructiveness, Whurr, London.

마음이 아픈 아동을 위한 책

글 마곳 선더랜드, 그림 니키 암스트롱

아름다운 그림을 곁들인 다음 동화책들은 아동이 삶에서 겪는 문제들을 도와주기 위해 계획되었다. 동화에 나오는 이야기들은, 어린이들이 자신의 감정에 대해 느끼고 생각하도록 도와줄 것이다. 이 동화책들을 활용하기 위해서는 동화책마다 함께 곁들인 가이드북이 꼭 필요하다. 이 시리즈는 주로 아동을 대하는 전문가들을 위한 것이지만, 아동과 효과적으로 의사소통할 방법을 찾는 부모들에게도 매우 귀중한 자료가 될 것이다.

스토리텔링을 통한 어린이 심리치료

이 실용적인 지침서는 스토리텔링의 치료적 가치에 다한 철학적, 심리학적 근거로부터 시작한다. 이 책은 스토리텔링을 아동 심리치료에 활용하는 방법과, 아동이 이야기할 때 효과적으로 반응하는 방법을 소개하고 있다. 마음이 아픈 아동을 위한 책 시리즈에 필수적으로 포함되어야 하는 이 책은, 다음과 같은 주제들을 다루고 있다.

◆ 스토리텔링은 왜 마음이 아픈 아동을 돕는데 그토록 효과적인가

◆ 스토리텔링을 통한 심리치료에서는 어떤 자원들이 필요한가

◆ 아동을 위한 치료적 이야기를 어떻게 구성할 것인가

◆ 아동이 자신의 이야기를 들려줄 때는 어떻게 해야 하는가

◆ 아동의 이야기를 다룰 때 어떤 말을 하고 어떤 활동들을 할 수 있는가

132쪽, A4, 도판

너무 반듯한 죠

강박증에 시달리는 아동을 도우려면

윌리는 이 세상이 언제 무서운 일이 일어날지 모르는, 매우 안전하지 못한 곳이라고 생각하는 불안한 소년이다. 옆집에 사는 죠는 삶을 진정으로 즐기지 못하는, 지나치게 단정하고 틀에 박힌 소년이다. 윌리는 뭔가 확고한 것을 원하는 반면, 죠는 뭔가 흔들리는 것을 원한다. 어느 날 그들은 플롭 부인으로부터 그처럼 감정을 참고 살 필요가 없다는 말을 듣는다. 그녀의 충고에 따라 웅덩이 사람들을 찾아간 윌리와 죠는, 그들의 도움으로 굳어진 삶의 방식을 깨고 훨씬 풍요로운 삶의 방식을 발견하게 된다.

동화책: 32쪽, A4, full color
가이드북: 60쪽, A4, 도판

달님을 사랑한 프록이

그리움 속에 사는 아동을 도우려면

프록이는 달님이 미소 짓는 것을 한 번 보고는 그만 사랑에 빠져버렸다. 그 후로 그는 달님만을 바라보고 생각하며 모든 시간을 보냈다. 그는 달님이 다시 한 번 웃어주기를 기다리고 또 기다렸다. 그러던 어느 날, 친절하고 지혜로운 까마귀는 프록이가 얼마나 자신의 삶을 낭비하고 있는지 깨닫도록 도와준다. 마침내 프록이는 큰 결심을 하고 달님으로부터 고개를 돌린다. 그 때 그는 엄청난 공허감과 외로움을 느낀다. 그는 아직 자신의 반대쪽에 무엇이 있는지를 모르고 있었다. 주위를 둘러보았을 때, 그는 눈에 들어오는 모든 것으로부터 기쁨을 느꼈다. 그는 가망 없는 것을 얻기 위해, 너무나 많은 것들로부터 등을 돌리고 있었던 것이다.

동화책: 32쪽, A4, full color
가이드북: 48쪽, A4, 도판

마음을 숨기는 찬이

감정을 억누르는 아동을 도우려면

찬이는 어떤 일을 당해도 꿋꿋이 버틴다! 험한 일을 당할 때마다 그는 용감하게 '난 괜찮아'라고 말한다. 그는 온갖 좌절과 실망을 맛보고, 괴롭힘을 당하지만 그 때마다 감정을 억누르고는 버텨나간다. 그러나 그는 결국 너무 많이 억누른 감정의 덤불에 갇혀 꼼짝도 못하게 된다. 더구나 억눌렸던 감정들은 다른 사람들을 해치는 방식으로 새어나오기 시작한다. 다행히 그는 멧새의 도움으로, 감정이란 소중한 것이며 무시해서는 안 된다는 것을 알게 된다. 그리하여 찬이는 자신의 감정을 표현하는 방법과 자신을 옹호하는 방법을 배우게 된다.

동화책: 36쪽, A4, full color
가이드북: 48쪽, A4, 도판

꿈을 이룬 콩이

꿈과 희망을 잃은 아동을 도우려면

콩이는 꿈을 가진 완두콩이다. 그녀는 완두콩으로서 아주 멋진 삶을 살려는 꿈을 가지고 있다. 그러나 콩이에게 사람들은, 그녀는 그저 평범한 완두콩에 지나지 않기 때문에 그런 꿈을 갖는 것은 부질없는 짓이라고 말한다. 꿈을 접고 다른 완두콩들처럼 평범하게 산다는 것을 받아들일 수 없었던 콩이는, 그래서 몹시 외로운 길을 가게 된다. 그러던 중, 어떤 친절한 사람의 도움으로 콩이는 마침내 자신이 늘 꿈꾸어 왔던 것을 이루어낸다.

동화책: 28쪽, A4, full color
가이드북: 37쪽, A4, 도판

꼬마 깡패 아롬이

마음이 굳어진 아동을 도우려면

아롬이는 매우 사랑스럽고 마음이 따뜻한 아이였다. 그러나 누군가가 그만 그의 마음에 아주 심한 상처를 주었다. 그 상처가 너무나 아파서 그는 다시는 아무도 사랑하지 않기로 결심을 한다. 숲 속에서 만난 크고 거친 깡패 형들은, 그에게 더 이상 마음의 상처를 입지 않도록 마음을 단단하게 하는 방법을 가르쳐준다. 아롬이는 다른 사람들을 괴롭히는 꼬마 깡패가 된다. 처음에 그는 아주 강력한 힘을 가진 것처럼 느끼지만, 점차 세상이 삭막한 회색빛으로 변해가는 것을 깨닫는다. 운 좋게도 아롬이는 들꽃과 동물친구들의 도움으로, 마음을 단단하게 만들지 않고도 자신을 보호할 수 있는 방법을 발견한다.

동화책: 44쪽, A4, full color
가이드북: 60쪽, A4, 도판